Alessia Benenti - Valentina Mussi

PRONTI PER IL T~~EST B1~~

PREPARARSI ALLA CERTIFICAZIONE DI ITALIANO B1 PER LA CITTADINANZA

Codice 33729
Pronti per il test B1
Preparazione alla Certificazione B1 Cittadinanza

Codice di sblocco

OP 0209356330
33729
PRONTI PER IL
1° RISTAMPA 2
BENEVI ALESS
MUSSI VALENT I

LOESCHER
LOESCHER ED.

IL LIBRO IN DIGITALE

Questo corso è distribuito sulla piattaforma myLIM per computer e tablet.

❶ REGISTRATI SU IMPAROSULWEB

Vai sul sito *imparosulweb.eu* e registrati scegliendo il tuo profilo. Completa l'attivazione cliccando il link contenuto nell'e-mail di conferma. Al termine della procedura sarai indirizzato nella tua area personale.

❷ SBLOCCA IL VOLUME

Usa il **codice di sblocco** che trovi stampato su questo libro per sbloccarlo su Imparosulweb e per accedere anche alle espansioni online associate.

❸ SCARICA L'APPLICAZIONE MYLIM

Clicca sul pulsante **Libro digitale** e segui le istruzioni per scaricare e installare l'applicazione.

❹ SCARICA IL LIBRO ATTIVATO

Entra nella libreria di myLIM facendo login con il tuo account Imparosulweb e clicca sulla copertina del libro attivato per scaricarlo. Sfoglia le pagine e i pulsanti ti guideranno alla scoperta delle risorse multimediali collegate.

LŒSCHER EDITORE

La Linea Edu

Loescher Editore Divisione di Zanichelli editore S.p.A. opera con Sistema Qualità certificato secondo la norma
UNI EN ISO 9001. Per i riferimenti consultare www.loescher.it

Coordinamento editoriale: Chiara Romerio
Progetto grafico e impaginazione: Angela Ragni
Redazione: Edizioni La Linea - Bologna
Disegni: Maurizio Lacavalla
Ricerca iconografica: Maurizio Dondi
Fotolito: Walter Bassani - Bascapè (PV)
Stampa: Vincenzo Bona S.p.A. - Strada Settimo, 370/30 - 10156 Torino

Garanzie relative alle risorse digitali
Le risorse digitali di questo volume sono
riservate a chi acquista un volume nuovo: vedi
anche *www.loescher.it/mondo-digitale*
Loescher garantisce direttamente
all'acquirente la piena funzionalità di tali
risorse. In caso di malfunzionamento compilare
il form su *www.loescher.it/help-isw*
La garanzia di aggiornamento è limitata alla
correzione degli errori e alla eliminazione
di malfunzionamenti presenti al momento
della creazione dell'opera. Loescher garantisce
inoltre che le risorse digitali di questo volume
sotto il suo controllo saranno accessibili, a
partire dall'acquisto, per tutta la durata della
normale utilizzazione didattica dell'opera.
Passato questo periodo, alcune o tutte le
risorse potrebbero non essere più accessibili o
disponibili.

File per sintesi vocale
L'editore mette a disposizione degli studenti
non vedenti, ipovedenti, disabili motori
o con disturbi specifici di apprendimento i file
pdf in cui sono memorizzate le pagine
di questo libro. Il formato del file permette
l'ingrandimento dei caratteri del testo
e la lettura mediante software screen reader.
Per le informazioni su come ottenere i file
scrivere a *clienti@loescher.it*

**Soluzioni degli esercizi e altri svolgimenti di
compiti assegnati**
Le soluzioni degli esercizi, compresi i passaggi
che portano ai risultati e gli altri svolgimenti
di compiti assegnati, sono tutelate dalla legge
sul diritto d'autore in quanto elaborazioni
di esercizi a loro volta considerati opere
creative tutelate, e pertanto non possono
essere diffuse, comunicate a terzi e/o utilizzate
economicamente, se non a fini esclusivi di
attività didattica.

Diritto di TDM
L'estrazione di dati da questa opera o da parti di
essa e le attività connesse non sono consentite,
salvi i casi di utilizzazioni libere ammessi dalla
legge. L'editore può concedere una licenza. La
richiesta va indirizzata a *tdm@loescher.it*

Referenze fotografiche
(ove non diversamente indicato, le referenze
sono indicate dall'alto verso il basso, da sinistra
a destra, in senso orario. a= alto; b=basso;
c=centro; d=destra; s=sinistra)

P. 18: © photka/Shutterstock; p. 22: www.
pinterest.it; p. 28: © MikeDotta/Shutterstock, ©
Stefano Guidi/Shutterstock; p. 38: © Gorodenkoff/
Shutterstock; p. 41: © luckyraccoon/Shutterstock;
p. 47: © Alexander Raths/Shutterstock; p. 48: ©
Erin Deleon/Shutterstock, © Syda Productions/
Shutterstock; p. 51: © Monkey Business Imagess/
Shutterstock; p. 58: © Monkey Business
Images/Shutterstock; p. 62: www.fanpage.
it; p. 68: © Olena Yakobchuk/Shutterstock,
© s-ts/Shutterstock; p. 71: © Radiokafka/
Shutterstock; p. 75: © Monkey Business Images/
Shutterstock, archgionni, 2008/Flickr.com; p. 76:
© Elnur/Shutterstock, © Africa Studio Images/
Shutterstock; p. 78: © Africa Studio/Shutterstock;
p. 82: © asiastock/Shutterstock; p. 87: napoli.
fanpage.it; p. 88: © Balakate/Shutterstock; p. 92:
milano.cityrumors.it, www.precaria.it; p. 97: ©
crixtina/Shutterstock; p. 98: www.corriereitaliano.
com; p. 102: Colombo/Fidal/www.fidal.it; p. 107:
© Monkey Business Images/Shutterstock; p.
108: © Elena Elisseeva/Shutterstock, © Zigres/
Shutterstock; p. 112: © Halfpoint/Shutterstock.

PRESENTAZIONE

Pronti per il Test B1 - Prepararsi alla certificazione di Italiano B1 per la cittadinanza nasce per rispondere a un'esigenza concreta degli adulti stranieri residenti in Italia che vogliono richiedere la cittadinanza.

Le recenti disposizioni normative in tema di immigrazione (articolo 14 del D.L.4/10/2018, n.113 poi L.1/12/2018, n.132) hanno infatti stabilito che per presentare richiesta per la cittadinanza italiana è necessario ottenere una certificazione di competenza linguistica di livello B1.

Alcuni enti certificatori hanno approntato test specifici per l'ottenimento di tale certificazione ed è proprio dall'analisi approfondita di questi test che nasce il presente manuale, che integra nelle sue prove le diverse tipologie di attività proposte dagli esami ufficiali.

Pronti per il Test B1 si propone di offrire sostegno nell'acquisizione delle competenze linguistico-comunicative necessarie al superamento del test di lingua italiana B1, sviluppando temi di educazione civica che permettono di approfondire la conoscenza di alcuni aspetti della vita in Italia, necessari non solo al superamento del test ma anche all'integrazione linguistica e socio-culturale dei futuri cittadini italiani.

Il campo semantico, i domini e le strutture grammaticali fanno riferimento al sillabo B1 e la tipologia e la lunghezza dei testi proposti ricalcano quelle degli esami ufficiali, alternando testi scritti di tipo informativo, narrativo, descrittivo, regolativo e testi audio di tipo dialogico e monodirezionale. Particolare attenzione è stata dedicata all'ampliamento e arricchimento lessicale relativo ai vari temi proposti e alle strutture grammaticali, a cui è dedicata una rubrica ricorrente.

Il volume propone quindi 10 prove con una struttura ricorrente che comprende:

- attività di comprensione scritta,
- approfondimento sulle strutture grammaticali a difficoltà crescente, come previste dal sillabo B1, con un focus ricorrente sui pronomi,
- attività di comprensione orale,
- attività di produzione orale, con focus su micro-atti comunicativi, segnali discorsivi e lessico.

Alla produzione scritta viene dedicato uno spazio apposito. Il laboratorio di scrittura, in coda al volume, si propone di guidare lo studente verso l'acquisizione di questa abilità, spesso considerata l'ostacolo maggiore. Viene proposto infatti un percorso graduale e progressivo, che fornisce gli strumenti per arrivare al superamento della prova.

La prima parte del volume, infine, contiene alcuni suggerimenti e strategie per sviluppare le competenze paralinguistiche necessarie alla comprensione delle prove e delle consegne. Spesso, infatti, una delle difficoltà maggiori degli apprendenti che si apprestano a sostenere il test risiede proprio nella scarsa abitudine ad affrontare questa tipologia di prove, e quindi a comprendere in maniera efficace le richieste e le consegne.

Il testo può essere utilizzato sia in corsi specifici per la preparazione al test sia in autoapprendimento. Gli studenti, infatti, hanno a disposizione nel volume tutte le chiavi delle 10 prove.

Le Autrici

INDICE

Gli **audio** mp3 si possono ascoltare:

- con la app **Scopri+** scaricabile su App Store e Google Play: è sufficiente inquadrare le pagine con la fotocamera del tuo smartphone o tablet. Gli audio restano disponibili offline dopo il download;

- nel **libro in digitale** (piattaforma myLIM) scaricabile dall'area web riservata del volume: **www.imparosulweb.eu**;

- nell'area web riservata del volume: **www.imparosulweb.eu**.

PARTE **1**

STRATEGIE E CONSIGLI PER L'ESECUZIONE DELLA PROVA

STRATEGIE E CONSIGLI PER L'ESECUZIONE DELLA PROVA

Tutti gli esercizi di questo libro sono simili a quelli dei test di lingua italiana per la cittadinanza. In questa prima parte ti aiutiamo a imparare il funzionamento di questi esercizi, ti diamo alcuni suggerimenti su come affrontarli e ti indichiamo alcune strategie che ti possono essere d'aiuto in vista del test.

Per farlo, ti presentiamo alcuni esempi di esercizi che sono contenuti nelle prove che trovi nella seconda parte del libro, alla pagina di volta in volta indicata.

COMPRENSIONE DELLA LETTURA

Le prove sono suddivise in cinque parti: comprensione della lettura, grammatica, comprensione dell'ascolto, produzione orale e produzione scritta. Nella prima parte, quella della comprensione della lettura, ti è richiesto di leggere dei testi e rispondere a delle domande per verificare se hai capito.

 Leggi il testo e rispondi alla domanda.

In questa tipologia di esercizio devi leggere un breve testo e rispondere alla domanda: hai tre risposte possibili ma solo una è giusta. Fai attenzione: non basta che una risposta contenga una parola presente nel testo per essere vera!
Guarda questo esempio.

Ristorante/Pizzeria in periferia a Milano, zona Corvetto, cerca camerieri di sala per lavoro serale dal giovedì alla domenica. Requisiti: esperienza di almeno 2 anni nel settore ristorazione, buona volontà, puntualità. La conoscenza dell'inglese sarà valutata come requisito preferenziale.

L'annuncio

B. ⚪ si rivolge solo a persone che parlano inglese. FALSO!

La risposta è falsa: anche se la parola "inglese" è presente nel testo, bisogna fare attenzione alla parte seguente della frase che spiega che la lingua inglese non è obbligatoria, ma è un requisito preferenziale. Quindi l'annuncio non è rivolto solo a persone che parlano inglese.

Questo esempio è tratto dall'esercizio 1 della prova 3. Per vedere l'esercizio completo, vai a pagina 37.

Leggi il testo, poi leggi le affermazioni seguenti. Non tutte sono presenti nel testo. Indica <u>se l'affermazione è presente</u> (SÌ) o se NON è presente (NO).

In questo esercizio devi leggere un testo più lungo e devi scegliere le affermazioni <u>presenti</u> nel testo, cioè quelle affermazioni che puoi trovare nel testo. Fai attenzione alle affermazioni proposte: se una risposta ti sembra vera, controlla sempre che sia presente nel testo. Nel test, infatti, puoi trovare risposte che sono vere ma non sono presenti nel testo: in quel caso devi segnare NO.
Guarda questo esempio.

Il sistema educativo in Italia

In Italia il sistema scolastico è organizzato per fasce d'età degli studenti e delle studentesse.
Per bambini e bambine tra i 3 e i 6 anni c'è la scuola dell'infanzia, chiamata anche scuola materna. Prima dei 3 anni, i bambini e le bambine possono andare all'asilo nido. Entrambe queste scuole non sono obbligatorie.

A. La scuola in Italia è gratuita.

La risposta corretta è NO: anche se è vero che la scuola in Italia è gratuita, questa affermazione non è presente nel testo.

Questo esempio è tratto dall'esercizio 2 della prova 2. Per vedere l'esercizio completo, vai a pagina 28.

GRAMMATICA

La seconda parte della prova è di tipo grammaticale. Qui trovi gli argomenti grammaticali del livello B1 della lingua italiana. Per ogni argomento grammaticale, c'è la spiegazione in un box e poi alcuni esercizi. Alcuni di questi esercizi non sono presenti nei test di lingua per la cittadinanza, ma servono per esercitarsi sulla grammatica.

 Completa il testo. Scegli la parola corretta tra quelle proposte.

In questo esercizio trovi un testo a cui mancano delle parole. Devi completare il testo con le parole corrette, scegliendo ogni volta tra tre possibilità, elencate di seguito al testo. Il completamento può essere di tipo grammaticale o lessicale: in questo libro i completamenti di tipo grammaticale riguardano gli argomenti già affrontati in quella prova o nelle precedenti. Questa tipologia di esercizio è presente in tutti i test di lingua italiana per la cittadinanza.

 Completa i messaggi con la parola opportuna.

Questo è un esercizio sui pronomi (diretti, indiretti, combinati, ci e ne). Ogni prova prevede questo tipo di esercizio nella parte di grammatica. Questa tipologia di esercizio è presente in alcuni test di lingua per la cittadinanza, per questo motivo è stata inserita in tutte le prove.

COMPRENSIONE DELL'ASCOLTO

In questa parte della prova devi ascoltare dei testi più o meno brevi o dei dialoghi (li puoi trovare online nella sezione dedicata a questo libro, all'indirizzo www.imparosulweb.eu) e poi rispondere alle domande.

◆ **Ascolta i testi. Poi completa le frasi: scegli una delle tre proposte di completamento.**

In questo esercizio devi ascoltare dei dialoghi e dei monologhi. Per ogni audio, devi rispondere a una domanda. Fai attenzione: come per l'esercizio iniziale, per essere vera non basta che una risposta contenga una parola presente nel testo ascoltato!
Ascolta l'audio 37 e guarda questo esempio.

5. L'offerta

FALSO!

C. ● promuove un negozio che resterà aperto 24 ore .

La risposta è falsa: anche se nell'audio senti le parole "24 ore", non si riferiscono all'apertura del negozio ma alla durata della promozione online. Verifica leggendo la trascrizione dell'audio qui sotto.

Sta per arrivare il Venerdì Nero di Frozen. Per 24 ore potrai usufruire di sconti dal 10% al 70% su libri, elettronica, accessori per la casa o per l'auto, strumenti per il fai da te, elettrodomestici di ultima generazione, articoli per lo sport e per il tempo libero. Non perdere questa incredibile occasione: vai sul nostro sito e scopri le offerte.

Questo esempio è tratto dall'esercizio 9 della prova 10. Per vedere l'esercizio completo, vai a pagina 114.

◆ **Ascolta il testo che recita alcune parti della Costituzione Italiana, poi leggi le affermazioni seguenti. Non tutte sono presenti nel testo. Indica se l'affermazione è presente (SÌ) o se NON è presente (NO). Le affermazioni ripetono le stesse parole del testo.**

In questo esercizio devi ascoltare alcune frasi e scegliere le affermazioni presenti nell'audio. Fai attenzione: in questo specifico caso, le affermazioni presenti <u>devono riportare esattamente le stesse parole</u>. Devi quindi sentire gli stessi suoni, anche se le istruzioni per questo esercizio nei test di lingua italiana per la cittadinanza non lo specificano.
Ascolta l'audio 6 e guarda questo esempio.

D. assicurazione di libertà   sì

La risposta corretta è NO perché nell'audio non vengono dette esattamente le parole "assicurazione di libertà" ma "assicurare ad esse piena libertà". Verifica leggendo la trascrizione dell'audio qui sotto.

La legge, nel fissare i diritti e gli obblighi delle scuole non statali che chiedono la parità, deve assicurare ad esse piena libertà e ai loro alunni un trattamento scolastico equipollente a quello degli alunni di scuole statali.

Questo esempio è tratto dall'esercizio 9 della prova 2. Per vedere l'esercizio completo, vai a pagina 35.

◆ **Ascolta il testo e poi leggi le affermazioni seguenti. Non tutte sono presenti nel testo. Indica se l'affermazione è presente (SÌ) o se NON è presente (NO). Le affermazioni riportano il contenuto del testo <u>senza ripetere necessariamente le stesse parole</u>.**

In questo esercizio devi ascoltare un audio. Può essere un'intervista oppure un monologo. Devi indicare quali affermazioni sono presenti nell'audio. Fai attenzione: a differenza dell'esercizio precedente, le affermazioni presenti <u>riportano il contenuto del testo senza necessariamente ripetere le stesse parole</u>. Ascolta l'audio 15 e guarda questo esempio.

B. Il lavoro al 118 non è il primo impiego di Lucia.

La risposta giusta è SÌ, anche se nell'audio non hai sentito le stesse parole. Infatti, ascoltando la frase "mentre lavoravo in uno studio", si capisce che Lucia stava già lavorando e che quindi il lavoro al 118 non era il suo primo impiego. Verifica leggendo la trascrizione dell'audio qui sotto.

<u>Mentre stavo lavorando in uno studio medico</u>, è arrivata una chiamata inaspettata: un collega mi ha chiesto la disponibilità immediata a lavorare per il 118 su un'auto medica.

Questo esempio è tratto dall'esercizio 9 della prova 4. Per vedere l'esercizio completo, vai a pagina 54.

PRODUZIONE ORALE

Questa parte della prova serve per esercitare la produzione orale. Nei test di lingua italiana per la cittadinanza possono chiederti di fare varie cose: presentarti, descrivere immagini, fare un confronto interculturale, dare brevi spiegazioni di educazione civica e comunicare all'interno di uno scambio (interazione). In questo libro trovi degli esercizi per ognuna di queste tipologie.

 Ascolta Olga che parla con la sua amica Elena e le dà alcuni consigli per essere più ecologica nella vita di tutti i giorni.

In questo esercizio ti proponiamo un audio di esempio da ascoltare.
Di seguito, nella prova, c'è un box in cui trovi evidenziate le parole, le espressioni o i verbi che ti aiutano a svolgere questa prova orale.

 Leggi la tabella e utilizza le strutture illustrate per dare consigli per essere più ecologici.

In questo esercizio puoi provare a riutilizzare le espressioni che hai appena imparato, seguendo una tabella di riepilogo.

Ora chiudi il libro, parla con un tuo amico e dagli dei consigli per una vita più ecologica. Se sei da solo, puoi registrare la tua voce sullo smartphone e riascoltarti per esercitarti.

In questo esercizio dovrai provare a riutilizzare in autonomia le espressioni viste in precedenza. Puoi svolgere questo esercizio con un amico oppure registrarti e poi riascoltare quello che hai detto. Un piccolo consiglio: per capire se hai parlato bene, puoi ascoltare e trascrivere la tua prova.

Questi esempi sono tratti dagli esercizi 11, 12, 13 della prova 1. Per vedere gli esercizi completi, vai a pagina 26.

L'ultima parte dei test di lingua italiana per la cittadinanza riguarda la produzione scritta. Nella terza parte di questo libro troverai il Laboratorio per la produzione scritta, che è un percorso guidato di esercizi per aiutarti a migliorare questa capacità in vista del superamento del test.

Buon lavoro!

Ecologia e ambiente

COMPRENSIONE DELLA LETTURA

1 Leggi il testo e rispondi alla domanda.

Gli adolescenti sono i più attenti a riciclo e ambiente

Pubblicati i risultati di una ricerca: gli adolescenti tra i 15 e i 19 anni sono impegnati e informati.

Gli adolescenti italiani fanno la raccolta differenziata e sono preparati sui temi ambientali, tanto da adottare stili di vita più sostenibili e comunque attenti a consumi e risorse: 8 su 10 sono preoccupati per il futuro del loro pianeta.

I giovani si informano attraverso la famiglia e gli amici (65 per cento degli intervistati) e attraverso internet. Quasi tutti i ragazzi affermano di aver ricevuto una educazione ambientale (86 per cento), e oltre la metà (54 per cento) dice di averla ricevuta in famiglia, prima ancora che a scuola.

Secondo la ricerca

A. gli adolescenti non parlano di ambiente in famiglia.

B. il 54% degli adolescenti è preoccupato per il futuro del pianeta.

C. la maggior parte degli adolescenti ha ricevuto un'educazione ambientale in famiglia.

2 Leggi il testo, poi leggi le affermazioni seguenti. Non tutte sono presenti nel testo. Indica se l'affermazione è presente (SÌ) o se NON è presente (NO).

Regole e consigli per la raccolta differenziata

Le risorse del pianeta non sono illimitate e un uso sbagliato e spropositato accelera il loro esaurimento.

La raccolta differenziata

L'attività svolta da ciascuno di noi nella raccolta differenziata è molto importante: separando i rifiuti e dividendoli in maniera corretta, recuperiamo materiali utili alla produzione di nuovi oggetti.

Come fare la raccolta differenziata

La raccolta può essere effettuata in vari modi: raccolta porta a porta e per mezzo di contenitori stradali (cassonetti) di forme e colori diversi. La forma e il colore dei vari contenitori possono variare lievemente a seconda della zona in cui si abita, per questo motivo è importante controllare sempre le indicazioni riportate sui cassonetti o sul kit (sacchetti o appositi cestini) della raccolta porta a porta.

Casi particolari

- **L'olio da cucina** non deve essere versato nello scarico della cucina o nella rete fognaria, ma deve essere raccolto in un recipiente da gettare nell'apposito punto raccolta presente nel proprio Comune.

- **Le pile e batterie** devono essere smaltite presso i punti vendita di questi beni, o altre strutture che hanno attivato il servizio gratuito di ritiro tramite appositi contenitori per la raccolta.

- **Le medicine** devono essere gettate in appositi contenitori presenti nel proprio Comune oppure presso strutture (come ad esempio le farmacie e gli ambulatori), che hanno attivato il servizio di raccolta.

- **I rifiuti ingombranti e le potature** non devono essere posti a fianco dei cassonetti. Per il ritiro di questi rifiuti esiste un servizio apposito su appuntamento.

Per gestire la raccolta e lo smaltimento dei rifiuti ogni anno i cittadini devono pagare una tassa: la TARI.

A. Le risorse sono limitate e finiranno prima del tempo se le usiamo in modo sbagliato.   SÌ NO

B. Se non si fa la raccolta differenziata si prende una multa.   SÌ NO

C. Separando correttamente i rifiuti, recuperiamo materiali per creare nuovi oggetti.   SÌ NO

D. I contenitori della raccolta differenziata sono uguali per tutti.   SÌ NO

E. L'olio da cucina va raccolto in un contenitore da portare in discarica.   SÌ NO

F. Le pile e le batterie vanno buttate presso i negozi che le vendono.   SÌ NO

G. Le medicine non si possono buttare insieme agli altri rifiuti.   SÌ NO

H. Le pile e le batterie possono essere smaltite solo se completamente esaurite.   SÌ NO

I. Per rifiuti ingombranti si intende tutto ciò che non entra nel cassonetto.   SÌ NO

L. Il recipiente per smaltire l'olio da cucina viene fornito dal Comune.   SÌ NO

M. Per il ritiro dei rifiuti ingombranti devo prendere un appuntamento.   SÌ NO

N. La TARI è una tassa annuale per la raccolta dei rifiuti.   SÌ NO

Differenza tra passato prossimo e imperfetto

■ Quando si usa il **passato prossimo**

- Per raccontare azioni passate delimitate nel tempo e concluse ▶ **ES.** *Ieri **ho mangiato** la pizza.*

- Per raccontare azioni passate concluse che accadono una dopo l'altra
  ▶ **ES.** *Quando **ho finito** le scuole superiori, **mi sono iscritta** all'università.*

- Per raccontare azioni concluse che durano per un tempo limitato
  ▶ **ES.** *Dal 2015 al 2017 **ho lavorato** all'estero.*

■ Quando si usa l'**imperfetto**

- Per esprimere azioni passate che durano nel tempo e che si ripetono abitualmente
  ▶ **ES.** *Da bambino ogni estate **andavo** al mare.*

- Per descrivere persone, luoghi, stati fisici e psicologici ▶ **ES.** *Da giovane mio padre **era** biondo. | Ieri **stavo** male. | La casa dove **abitavo aveva** 5 stanze.*

- Per parlare di azioni passate che si svolgono contemporaneamente
  ▶ **ES.** *Mentre **studiavo**, **ascoltavo** la musica.*

■ Quando si usano insieme **imperfetto** e **passato prossimo**

- Per descrivere un'azione già in corso (imperfetto) che viene interrotta da un'altra
  (passato prossimo) ▶ **ES.** *Mentre **facevo** la doccia, **è suonato** il telefono.*

---

3 **Inserisci i verbi tra parentesi all'imperfetto o al passato prossimo.**

A. Quando (io) *(essere)* _____ piccolo, *(andare)* _____ sempre in vacanza
   al mare: solo un anno io e la mia famiglia *(andare)* _____ in montagna.

B. Mio padre *(essere)* _____ alto, magro e *(avere)* _____ dei bellissimi
   baffi. *(avere)* _____ un bel carattere, solo una volta *(arrabbiarsi)*
   _____ molto!

C. Da giovane mia sorella *(correre)* _____ tutti i giorni, una volta *(cadere)*
   _____ e *(prendere)* _____ una distorsione alla caviglia:
   (dovere) _____ portare le stampelle per 15 giorni...

D. Quando (io) *(avere)* _____ 18 anni, *(ricevere)* _____ il mio primo
   cellulare: *(essere)* _____ emozionatissima! Ricordo che *(volere)* _____
   iniziare a usarlo subito, ma non *(conoscere)* _____ altre persone che ne
   avessero uno.

E. Quanti anni (*avere*) _____ tu e Giulio quando (*sposarsi*) _____ ?

F. Nel mio Paese (io) (*studiare*) _____ architettura per 5 anni e nel 2019
(*iniziare*) _____ a lavorare in uno studio privato.

4 Guarda il disegno e scrivi cosa succede, come nell'esempio.

▶ **ES.** Ieri, mentre mangiavo, è suonato il telefono. _____

A. Ieri _____
_____
_____

B. Ieri _____
_____
_____

C. Ieri _____
_____
_____

D. Ieri _____
_____
_____

5 Scegli il verbo adatto e coniugalo nella forma corretta (passato prossimo o imperfetto), come nell'esempio.

esistere ▪ potere ▪ usare ▪ ~~essere~~ ▪ telefonare ▪ arrivare ▪ scrivere ▪ aspettare ▪ essere

Oggi quasi tutte le persone possiedono uno smartphone, ma un tempo non _____era_____ così.
I primi cellulari _____ in Italia intorno al 1983. Non erano come quelli a cui siamo abituati adesso: _____ molto più grandi e ingombranti.

Quando non _____ i cellulari, le persone _____ il telefono fisso, _____ le lettere e se erano fuori casa _____ da una cabina pubblica.

Se facevi tardi a un appuntamento, non _____ avvisare. Mi ricordo che una volta _____ un mio amico per due ore: aveva perso il treno!

6 Completa il testo. Scegli la parola corretta tra quelle proposte.

I rifiuti nel passato

Antonio Morabito, ingegnere ambientale in pensione, racconta come si producevano e raccoglievano i rifiuti quando era bambino.

«Quando ero giovane si producevano pochi rifiuti, ed erano soprattutto organici o costituiti da ferro, carta e vetro. I cibi di scarto e gli avanzi di cucina [1] pochi e venivano riutilizzati come pasto per gli animali [2] . Mi ricordo che una volta [3] via il pane del giorno prima e mia mamma mi ha sgridato molto: quel pane era per le nostre galline.

Utilizzavamo la carta per accendere il fuoco, [4] le bottiglie di vetro come contenitori per altri alimenti; riparavamo gli [5] e li passavamo ai bambini più piccoli (questa poteva essere considerata una prima forma di raccolta differenziata e di riciclaggio): ricordo il Natale del 1963 quando mia mamma [6] al mio fratellino le mie [7] preferite: quanto ho pianto! Ma a me stavano strette.

Ai miei tempi non [8] la raccolta differenziata: la spazzatura veniva raccolta solo nei secchi in casa, poi passava lo "scopino" che la portava via con il suo carrettino. Non esistevano i contenitori di plastica, polistirolo, lattine…

La spazzatura ha iniziato a essere un problema con la nascita della società dei consumi, quando l'industria [9] a fabbricare oggetti in serie, aumentando la produzione delle fabbriche e introducendo nuovi [10] come la plastica».

1.   A. ○ erano   B. ○ sono stati   C. ○ sono

2.   A. ○ selvatico   B. ○ domestico   C. ○ domestici

3.   A. ○ buttavo   B. ○ ho buttato   C. ○ avete buttato

4.   A. ○ usavamo   B. ○ abbiamo usato   C. ○ rompevamo

5.   A. ○ vestiti   B. ○ abbigliamento   C. ○ abiti

6.   A. ○ regalava   B. ○ ha regalato   C. ○ ho regalato

7.   A. ○ stivali   B. ○ scarpe   C. ○ giochi

8.   A. ○ c'era   B. ○ c'è stata   C. ○ c'è

9.   A. ○ ha cominciato   B. ○ cominciavo   C. ○ hanno cominciato

10.   A. ○ sostanze   B. ○ contenitore   C. ○ materiali

7 **Completa i messaggi con la parola opportuna.**

A. – Dove butto la bottiglia di plastica?
   – Butta .... nel sacco giallo.

B. Le mie figlie non hanno ancora imparato a fare la raccolta differenziata: ogni volta .... devo spiegare tutto di nuovo.

C. Marco .... ha detto di andare in discarica a portare l'olio, ma ora non posso!

D. – I medicinali scaduti vanno portati in farmacia!
   – Non preoccuparti per questa volta .... penso io.

E. Quel sacco è troppo pieno di plastica, ... hai messa troppa!

COMPRENSIONE DELL'ASCOLTO

8 🎧¹ **Ascolta i testi. Poi completa le frasi: scegli una delle tre proposte di completamento.**

1. L'Hotel Elizabeth

A. ⬤ è in via Puccini.

B. ⬤ è a cinque fermate di autobus.

C. ⬤ è raggiungibile a piedi in un quarto d'ora.

2. Il biglietto giornaliero

A. ⬤ costa quanto il biglietto singolo.

B. ⬤ si deve timbrare una sola volta.

C. ⬤ è più conveniente se si fanno almeno tre viaggi.

3. Il corso di nuoto

A. ⬤ è una volta alla settimana.

B. ⬤ è in estate.

C. ⬤ costa 120 euro in totale.

4. Elena

A. ⬤ non vuole andare al concerto perché non le piace la musica classica.

B. ⬤ preferisce fare shopping.

C. ⬤ deve comprare un vestito.

5. L'annuncio dice che

A. ⬤ paghi lo stesso prezzo in qualsiasi momento della giornata.

B. ⬤ puoi attivare l'offerta su internet.

C. ⬤ paghi lo stesso prezzo per chiamare i telefoni fissi o i cellulari.

6. L'avviso

A. ⬤ comunica che a causa di un guasto non ci sono treni diretti a Bergamo.

B. ⬤ è rivolto a tutti i viaggiatori.

C. ⬤ comunica che c'è un treno alternativo per raggiungere la stazione di Bergamo.

7. Questa notizia dice che

A. ⬤ per combattere il caldo bisogna cambiare lo stile di vita.

B. ⬤ per combattere il caldo non bisogna uscire di casa al mattino.

C. ⬤ per combattere il caldo bisogna mettere abiti neri.

8. Gli studenti

A. ⬤ non vogliono andare a scuola.

B. ⬤ hanno pulito le strade dopo la manifestazione.

C. ⬤ hanno scioperato contro i tagli alla scuola.

9 🎧² Ascolta il testo che parla del protocollo di Kyoto poi leggi le affermazioni seguenti. Non tutte sono presenti nel testo. Indica se l'affermazione è presente (SÌ) o se NON è presente (NO). Le affermazioni ripetono le stesse parole del testo.

A. prende il nome da una realtà giapponese   sì NO

B. si occupa di tutela dell'ambiente   sì NO

C. ridurre le emissioni di gas terra   sì NO

D. non è uguale per tutti i Paesi   sì NO

E. addirittura aumentare la loro riduzione   sì NO

F. proteggere boschi, foreste e terreni   sì NO

G. aiutare Paesi per lo sviluppo   sì NO

H. se non raggiungono gli obiettivi   sì NO

I. deve ridurre le emissioni di più dell'8%   sì NO

L. le regole sono più flessibili   sì NO

10 🎧³ Ascolta il testo poi leggi le affermazioni seguenti. Non tutte sono presenti nel testo. Indica se l'affermazione è presente (SÌ) o se NON è presente (NO). Le affermazioni riportano il contenuto del testo senza ripetere necessariamente le parole.

A. La ragazza intervistata vuole salvare il pianeta dal cambiamento climatico.   sì NO

B. Agneta protesta contro le sparatorie nelle scuole.   sì NO

C. Agneta ha deciso di scioperare fuori dalla sua scuola. sì NO

D. La mamma e il papà di Agneta l'hanno sempre sostenuta nella sua battaglia.   sì NO

E. Agneta afferma che i suoi genitori vogliono che vada a scuola.   sì NO

F. Agneta ha smesso di mangiare solo la carne.   sì NO

G. Agneta non usa più l'aereo.   sì NO

H. Agneta dice di aver modificato le sue abitudini per applicare quello che pensa.   sì NO

11 🎧 **4** Ascolta Olga che parla con la sua amica Elena e le dà alcuni consigli per essere più ecologica nella vita di tutti i giorni.

Come dare consigli

■ Per dare consigli puoi utilizzare:

- il **condizionale** ▶ **ES.** *Dovresti* smettere di usare la macchina, *potresti* regalare gli abiti che non indossi più.

- l'**imperativo** ▶ **ES.** *Spegni* le luci, *usa* le lampadine a basso consumo, *non sprecare* l'acqua.

■ Un'altra formula che puoi utilizzare è **ti consiglio di** + infinito ▶ **ES.** *Ti consiglio di riutilizzare* tutto ciò che può essere riutilizzato.

---

12 Leggi la tabella e utilizza le strutture illustrate per dare consigli per essere più ecologici.

FUNZIONE	ESEMPIO	
Consiglio con condizionale (verbo *dovere*) e con l'espressione *per esempio*	Beh **per esempio dovresti smettere** di usare la macchina e iniziare a usare la bicicletta e i mezzi pubblici.	*Per esempio dovresti...*
Consiglio con alternativa	E **se proprio non** puoi rinunciare alla macchina, **almeno** usa il car sharing!	*E se proprio non...*
Consiglio con la formula *ti consiglio di* + infinito	Inoltre **ti consiglio di riutilizzare** tutto ciò che può essere riutilizzato e di provare a riparare gli oggetti anziché comprarne di nuovi.	*Inoltre ti consiglio di...*
Consiglio con condizionale (verbo *potere*)	Per esempio **potresti regalare** gli abiti che non indossi più, mentre quelli troppo rovinati **potresti utilizzarli** per pulire, evitando così di comprare delle spugne sintetiche!	*Potresti...*
Consiglio con imperativo	**Spegni** le luci quando non ne hai bisogno, **usa** le lampadine a basso consumo e non sprecare l'acqua.	

13 Ora chiudi il libro, parla con un amico e dagli dei consigli per una vita più ecologica. Se sei da solo, puoi registrare la tua voce sullo smartphone e riascoltarti per esercitarti.

Scuola

COMPRENSIONE DELLA LETTURA

1 Leggi il testo e rispondi alla domanda.

Gentili genitori,

gli insegnanti della scuola elementare Pasolini quest'anno hanno organizzato un incontro di accoglienza rivolto esclusivamente ai bambini iscritti alla classe prima e ai loro genitori. L'incontro si terrà il 3 settembre dalle ore 10.00 alle ore 12.30 presso la sede dell'istituto stesso, in via Leopardi 51.

Genitori e alunni potranno visitare la scuola e gli spazi dedicati allo studio e saranno illustrati i programmi didattici e le attività extra scolastiche dell'anno che sta per iniziare.

Chi non potrà partecipare all'evento potrà contattare la nostra segreteria al numero 0201349 per ricevere eventuali informazioni sulla scuola e sui programmi.

Ringraziamo per la collaborazione.

Buon anno scolastico a tutti.   Il Dirigente Scolastico

L'incontro è rivolto

A. ○ a tutti gli studenti che frequentano la scuola elementare Pasolini.

B. ○ ai genitori e agli studenti che frequentano la classe prima.

C. ○ al corpo docente della scuola elementare Pasolini.

2 Leggi il testo, poi leggi le affermazioni seguenti. Non tutte sono presenti nel testo. Indica se l'affermazione è presente (SÌ) o se NON è presente (NO).

Il sistema educativo in Italia

In Italia il sistema scolastico è organizzato per fasce d'età degli studenti e delle studentesse.

Per bambini e bambine tra i 3 e i 6 anni c'è la scuola dell'infanzia, chiamata anche scuola materna. Prima dei 3 anni, i bambini e le bambine possono andare all'asilo nido. Entrambe queste scuole non sono obbligatorie.

La scuola dell'obbligo copre un periodo di tempo complessivo di 10 anni e si divide in:

• scuola primaria, di durata quinquennale, per le alunne e gli alunni da 6 a 11 anni. Questa scuola viene anche chiamata scuola elementare;

• scuola secondaria di primo grado, detta anche scuola media, di durata triennale, per le alunne e gli alunni da 11 a 14 anni. Al termine della scuola media bisogna superare un esame;

• scuola secondaria di secondo grado: a 14 anni gli studenti e le studentesse vengono iscritti alla scuola secondaria di secondo grado, o scuola superiore, che ha una durata di 5 anni e comporta il superamento di un esame chiamato esame di maturità. Esistono diversi indirizzi di studio per la scuola secondaria: i licei (liceo classico, liceo scientifico, liceo linguistico ecc.), gli istituti tecnici e gli istituti professionali. L'obbligo di frequenza per la scuola superiore è fino ai 16 anni di età.

I genitori delle alunne e degli alunni hanno il dovere di assicurarsi che i propri figli e figlie concludano gli anni di scuola dell'obbligo.

Una volta diplomato, lo studente/la studentessa può decidere autonomamente di iscriversi a un corso di laurea presso un'Università e seguire un percorso di studi che può avere una durata da 3 a 5 anni. Alcuni corsi universitari sono a numero chiuso e gli studenti e le studentesse devono superare un test di accesso.

A. La scuola in Italia è gratuita. sì NO

B. Alla fine della scuola primaria si affronta un esame. sì NO

C. Prima dei 6 anni la scuola non è obbligatoria. sì NO

D. La scuola secondaria di primo grado dura 3 anni. sì NO

E. Alla fine della scuola media gli studenti affrontano l'esame di maturità. sì NO

F. In Italia esiste solo una tipologia di scuola superiore. sì NO

G. È responsabilità dei genitori degli studenti e delle studentesse garantire
che i figli e le figlie portino a termine la scuola dell'obbligo. sì NO

H. Dopo la scuola secondaria di secondo grado ci si può iscrivere all'Università. sì NO

I. Per entrare in tutte le Università bisogna fare un test di accesso. sì NO

L. Tutti i ragazzi e le ragazze in Italia devono andare a scuola almeno per 10 anni. sì NO

M. L'esame di maturità è molto difficile. sì NO

N. La scuola elementare e la scuola primaria sono la stessa cosa. sì NO

I pronomi diretti, indiretti e combinati

■ **I pronomi diretti** sostituiscono un nome (persona, animale o cosa) o un pronome personale che rispondono alle domande "Chi? Che cosa?" e si trovano prima del verbo
▶ **ES.** *Compro **il pane**.* → ***Lo** compro.* | *Aspetto **voi**.* → ***Vi** aspetto.*

Con l'infinito o l'imperativo, i pronomi diretti si trovano dopo il verbo
▶ **ES.** *Compra **il pane**. → Compra**lo**.* | *Devo comprare **il pane**. → Devo comprar**lo**.*

Con il passato prossimo, il participio passato concorda in genere e numero con il pronome ▶ **ES.** *Non trovo **le chiavi**! Dove **le** hai messe?* | *– Hai sentito **Giulia**? – Sì, **l'**ho chiamata prima.*

■ **I pronomi indiretti** sostituiscono un nome (persona, animale o cosa) che risponde alla domanda "A chi?" e si trovano prima del verbo ▶ **ES.** *Telefono **a Elena**. → **Le** telefono.* | *Scrivo **a voi**. → **Vi** scrivo.*

Con l'infinito o l'imperativo, i pronomi indiretti si trovano dopo il verbo ▶ **ES.** *Metti la giacca **a tuo fratello**. → Metti**gli** la giacca.* | ***Ti** posso chiamare dopo? → Posso chiamar**ti** dopo?*

PRONOMI PERSONALI	PRONOMI DIRETTI	PRONOMI INDIRETTI
io	mi	mi
tu	ti	ti
lui	lo	gli
lei	la	le
noi	ci	ci
voi	vi	vi
loro	li	gli
loro (femminile)	le	gli

■ **I pronomi combinati** si usano quando ci sono due pronomi vicini (uno diretto e uno indiretto) ▶ **ES.** ***Mi** presti **il libro**? → **Me lo** presti?* | *Passa**mi il libro**! → Passa**melo**!* | ***Mi** devi restituire **il libro**. → Devi restituir**melo**.*

		PRONOMI DIRETTI			
		LO	LA	LI	LE
PRONOMI INDIRETTI	MI	me lo	me la	me li	me le
	TI	te lo	te la	te li	te le
	LE/GLI	glielo	gliela	glieli	gliele
	CI	ce lo	ce la	ce li	ce le
	VI	ve lo	ve la	ve li	ve le
	GLI	glielo	gliela	glieli	gliele

3 **Completa con i pronomi diretti.**

A. – Marcello, vuoi un'aranciata? – No, grazie non _____ voglio.

B. Abbiamo finito le banane! Se vai al supermercato compra_____ .

C. Siamo andati a cercare i funghi, ma non _____ abbiamo trovati.

D. – Vorrei vedere quel film con Monica Bellucci. – Anche io vorrei veder_____ .

E. Grazie al clima tropicale, l'Ecuador è tra i Paesi del mondo più ricchi di fauna e flora. Vorrei proprio visitar_____ .

F. Mi servirebbero dei post-it e un pennarello nero: _____ posso prendere dall'armadio?

4 **Completa con i pronomi indiretti.**

A. – Che cosa regali a tua mamma per Natale? – _____ prendo un profumo.

B. Più tardi chiamo Giulio oppure _____ scrivo un messaggio.

C. Vorrei andare dal professore per chieder_____ un consiglio.

D. – Mi vuoi bene? – Ma certo che _____ voglio bene!

E. Non vedo i miei nipoti da un mese e _____ mancano tanto.

F. Stasera andate al cinema? _____ consiglio di guardare l'ultimo film di Céline Sciamma, è davvero fantastico.

5 **Completa con i pronomi combinati.**

A. Questi libri sono di Giorgia, tra due giorni _____ devo restituire.

B. – Mi fai un favore? – Certo, _____ faccio volentieri.

C. – Buongiorno, vorrei un appuntamento. – Certo, signor Bianchi, _____ do subito.

D. Se ti piacciono tanto quelle scarpe, compra_____ !

E. Devo mandare una mail al direttore, ma non ho tempo. _____ mandi tu per favore?

F. Che bello il tuo vestito blu, _____ puoi prestare per la festa di domani?

6 Completa il testo. Scegli la parola corretta tra quelle proposte.

Il dramma del cyberbullismo

Samantha Finn, 15enne vittima di cyberbullismo, si è tolta la vita nell'aprile del 2018 nella sua casa. [1] di compiere il gesto, la ragazza [2] e ha pubblicato un video su Youtube. Nel video Samantha mostrava dei bigliettini in cui descriveva a parole il suo [3] e la sua disperazione. Il video è diventato virale dopo il suo suicidio: [4] hanno visto più di 10 milioni di persone.

Samantha Finn nel settembre del 2012 ha raccontato la sua storia in un video dal nome "La mia storia: lotta, bullismo, suicidio e autolesionismo".

Alle [5] medie Samantha utilizzava le videochat e durante una conversazione con un estraneo, quest'ultimo le ha fatto alcune foto mentre [6] nuda. In seguito l'uomo [7] ha ricattata, minacciandola di mostrare le immagini ai suoi amici. Infatti dopo poco [8] ha mostrate, mettendole online e facendole circolare in rete.

Questa notizia è stata un vero choc per Samantha, un trauma che [9] ha provocato ansia, depressione, attacchi di panico, oltre a spingerla al consumo di alcool e droga. La sua famiglia ha deciso di trasferirsi. Tuttavia questa storia l'ha continuata a perseguitare fino a portarla a questa [10] conclusione.

1.   A. ◯ Durante   B. ◯ Mentre   C. ◯ Prima

2.   A. ◯ girava   B. ◯ ha girato   C. ◯ hanno girato

3.   A. ◯ dolore   B. ◯ tristezza   C. ◯ gioia

4.   A. ◯ gli   B. ◯ li   C. ◯ lo

5.   A. ◯ scuole   B. ◯ scuola   C. ◯ istituto

6.   A. ◯ è stata   B. ◯ è   C. ◯ era

7.   A. ◯ l'   B. ◯ le   C. ◯ lo

8.   A. ◯ me le   B. ◯ gliele   C. ◯ glielo

9.   A. ◯ la   B. ◯ le   C. ◯ gli

10. A. ◯ terribile   B. ◯ bellissima   C. ◯ brutto

7 **Completa i messaggi con la parola opportuna.**

A. Domani non riesco a portare i bambini a scuola. .... puoi portare tu?

B. La prossima settimana mia figlia inizia la scuola elementare. .... devo comprare un astuccio.

C. – Hai detto ai tuoi genitori di firmare il diario? – Sì, ... ho detto.

D. – Mamma, mi compri questi due evidenziatori? – No, te .... compro uno solo.

E. – Per fare l'iscrizione dovete andare in segreteria, su al primo piano. – Va bene, ... andiamo domani.

F. Cari mamma e papà, ... voglio molto bene!

G. – Signora, quanto prosciutto cotto vuole? – .... prendo due etti, grazie.

H. Sono in ritardo! Mio marito non può andare a prendere i bambini a scuola e devo andar .... io!

I. – Secondo te, Romina viene alla festa domani? – Guarda, è lì, chiedi ....

L. Adoro quel film! .... ho già visto tre volte!

COMPRENSIONE DELL'ASCOLTO

8 🎧 **5** Ascolta i testi. Poi completa le frasi: scegli una delle tre proposte di completamento.

1. La signora

A. ⚪ chiama il ministero.

B. ⚪ deve andare in un'altra scuola per fare l'iscrizione.

C. ⚪ vuole iscrivere suo figlio al primo anno della scuola primaria.

2. Giacomo

A. ⚪ non andrà mai all'asilo il pomeriggio.

B. ⚪ tornerà a casa con la baby-sitter.

C. ⚪ inizia oggi la scuola elementare.

3. Giulia

A. ⚪ non ha dormito perché suo figlio è stato male.

B. ⚪ non ha dormito perché fa molto caldo.

C. ⚪ è appena tornata dalle vacanze.

4. Il signore dice che

A. ⚪ non ci sono testimoni del furto.

B. ⚪ non ha più i documenti.

C. ⚪ gli hanno rubato il portafoglio e il telefono.

5. Martedì 2 ottobre

A. ⚪ c'è il sole in quasi tutta Italia.

B. ⚪ le temperature minime sono tra 16 e 20 gradi.

C. ⚪ sono previste piogge in tutto il Sud Italia.

6. L'annuncio

A. ⚪ è rivolto a persone straniere.

B. ⚪ richiede di avere l'automobile.

C. ⚪ è rivolto a entrambi i sessi.

7. Il progetto Strade Sicure

A. ⚪ è rivolto ai bambini che tornano a scuola.

B. ⚪ vuole prevenire gli incidenti stradali che riguardano i bambini.

C. ⚪ è promosso dai Carabinieri.

8. Per l'anno accademico 2019-2020

A. ⚪ sono diminuite le domande per Medicina in italiano.

B. ⚪ sono in crescita le domande per Medicina in inglese.

C. ⚪ nessuno vuole fare veterinaria.

9 🎧⁶ Ascolta il testo che parla della scuola e dell'istruzione nella Costituzione italiana e poi leggi le affermazioni seguenti. Non tutte sono presenti nel testo. Indica se l'affermazione è presente (SÌ) o se NON è presente (NO).
Le affermazioni ripetono le stesse parole del testo.

A. libero ne è l'insegnamento   sì NO

B. pulisce aiuole statali   sì NO

C. senza poteri per lo Stato   sì NO

D. assicurazione di libertà   sì NO

E. vari ordini e gradi di scuole   sì NO

F. diritto di darsi ordinamenti   sì NO

G. impartita per almeno otto anni   sì NO

H. giungere ai piani più alti   sì NO

I. devono essere attribuite in corso   sì NO

L. fuori dal matrimonio   sì NO

10 🎧⁷ Ascolta il testo e poi leggi le affermazioni seguenti. Non tutte sono presenti nel testo. Indica se l'affermazione è presente (SÌ) o se NON è presente (NO). Le affermazioni riportano il contenuto del testo senza ripetere necessariamente le stesse parole.

A. Il programma radiofonico spiega come difendersi dal bullismo
   e dal cyberbullismo.   sì NO

B. Per iscriversi al progetto *Stop ai bulli* bisogna andare sul sito.   sì NO

C. Da quest'anno possono partecipare anche le scuole primarie.   sì NO

D. Il progetto è rivolto solo agli studenti e agli insegnanti.   sì NO

E. Secondo il progetto è importante la collaborazione tra docenti,
   studenti e genitori.   sì NO

F. Gli psicologi spiegheranno come usare le nuove tecnologie in classe.   sì NO

G. Al progetto parteciperanno anche persone famose.   sì NO

H. Secondo il giornalista, questo progetto sarà molto utile a combattere
   il bullismo nelle scuole.   sì NO

11 🎧 **8** Ascolta l'intervista a Xin, una mamma cinese che parla delle differenze tra il sistema scolastico cinese e quello italiano.

Come fare un confronto

■ Per fare un confronto possono essere utili alcune parole e strutture, ad esempio:

- • i **comparativi** ▶ **ES.** *La giornata scolastica in Cina è **più** lunga **della** giornata scolastica in Italia.* | *Gli anni di istruzione obbligatoria sono **meno rispetto all'***Italia.* | *I livelli di istruzione in Cina sono tre, **come** in Italia.*

- • alcune **congiunzioni**, come *mentre* e *invece* ▶ **ES.** *In Italia sono al massimo 26 nelle scuole medie, **mentre** in Cina ci possono essere classi anche con 40 studenti.* | *In Italia gli studenti non devono aiutare nella pulizia delle aule, **invece** in Cina sono proprio loro che a fine giornata puliscono la classe.*

- • altre **locuzioni**, come *a differenza di* ▶ **ES.** *Solo i primi 6 sono gratuiti, **a differenza dell'***Italia.*

■ *Innanzitutto* e *infine* sono parole che puoi usare per iniziare (*innanzitutto*) o terminare (*infine*) un discorso che comprende un elenco di argomenti ▶ **ES. Innanzitutto** *l'orario...* | **Infine** *ho notato che in Italia...*

12 Leggi la tabella e utilizza le strutture illustrate per descrivere le differenze tra il sistema scolastico nel tuo Paese e quello in Italia.

FUNZIONE	ESEMPIO	
Fare un confronto	La giornata scolastica in Cina è **più** lunga **della** giornata scolastica in Italia. Gli anni di istruzione obbligatoria sono **meno rispetto all'***Italia. I livelli di istruzione in Cina sono tre, **come** in Italia.	Nel mio Paese... più/meno/come...
	In Italia sono al massimo 26 nelle scuole medie, **mentre** in Cina ci possono essere classi anche con 40 studenti. In Italia gli studenti non devono aiutare nella pulizia delle aule, **invece** in Cina sono proprio loro che a fine giornata puliscono la classe.	In Italia... mentre/invece nel mio Paese...
	Solo i primi 6 sono gratuiti, **a differenza dell'***Italia.	Nel mio Paese... ...a differenza dell'Italia.

13 Ora chiudi il libro, parla con un amico e raccontagli le differenze tra il sistema scolastico italiano e quello del tuo Paese. Se sei da solo, puoi registrare la tua voce sullo smartphone e riascoltarti per esercitarti.

COMPRENSIONE DELLA LETTURA

 Leggi il testo e rispondi alla domanda.

● *OFFERTE DI LAVORO* ●

Ristorante/Pizzeria in periferia a Milano, zona Corvetto, cerca camerieri di sala per lavoro serale dal giovedì alla domenica. Requisiti: esperienza di almeno 2 anni nel settore ristorazione, buona volontà, puntualità. La conoscenza dell'inglese sarà valutata come requisito preferenziale.

Si offre: contratto a tempo determinato di 6 mesi ed eventuale possibilità di assunzione indeterminata.

Compenso da concordare.

Il presente annuncio è rivolto a entrambi i sessi.

Se interessati inviare curriculum a pizzeriacorvetto@gmail.com

L'annuncio

A. ● offre subito un contratto a tempo indeterminato.

B. ● si rivolge solo a persone che parlano inglese.

C. ● non specifica lo stipendio.

2 Leggi il testo, poi leggi le affermazioni seguenti. Non tutte sono presenti nel testo. Indica se l'affermazione è presente (SÌ) o se NON è presente (NO).

Il contratto a tempo parziale (part-time)

I lavoratori e le lavoratrici con contratto a tempo parziale, più comunemente conosciuto come part-time, hanno lo stesso trattamento dei lavoratori a tempo pieno; l'unica differenza è che lavorano per un numero minore di ore, ricevendo ovviamente una retribuzione più bassa. Non c'è un numero specifico di ore per un lavoratore a tempo pieno o parziale, ma normalmente un lavoratore full-time lavora per 35 ore o più alla settimana.

Per il resto, i lavoratori a tempo parziale godono degli stessi diritti di quelli a tempo pieno: malattie, ferie, maternità, infortuni, opportunità e diritto alla pensione.

L'obiettivo del lavoro part-time è quello di creare nuove opportunità lavorative, rispettando sia le esigenze del datore di lavoro sia dei lavoratori che hanno bisogno di un orario ridotto. Questo tipo di contratto, infatti, dà la possibilità di un'attività lavorativa ridotta a studenti o a persone che hanno bisogno di più tempo libero per occuparsi della famiglia o della casa.

Il contratto di lavoro parziale può essere orizzontale, cioè quando si lavora tutti i giorni ma a orario ridotto rispetto all'orario normale giornaliero di lavoro; verticale, ovvero si lavora a tempo pieno ma solo in alcuni giorni della settimana, del mese o dell'anno; mentre quando il rapporto di lavoro a tempo parziale si svolge combinando le modalità orizzontale e verticale, il contratto è misto.

Nel contratto parziale verticale l'orario di lavoro è stabilito all'inizio del rapporto e il datore di lavoro non può chiedere di modificarlo. Nel part-time di tipo orizzontale il datore di lavoro può richiedere al lavoratore lo svolgimento di prestazioni supplementari o straordinari.

A. Il contratto a tempo parziale e il contratto part-time sono la stessa cosa. sì NO

B. Lo stipendio dei lavoratori part-time è inferiore di quello dei lavoratori
a tempo pieno. sì NO

C. Il lavoratore a tempo pieno lavora sempre 35 ore a settimana. sì NO

D. I lavoratori part-time hanno le vacanze pagate. sì NO

E. La lavoratrice part-time non ha diritto alla maternità. sì NO

F. Il lavoro a tempo parziale è pensato per le donne. sì NO

G. In tutti i tipi di contratti part-time, l'orario di lavoro è sempre uguale. sì NO

H. Con il contratto part-time verticale non si lavora tutti i giorni. sì NO

I. Il part-time orizzontale è più conveniente di quello verticale. sì NO

L. Il lavoratore part-time non può lavorare la domenica. sì NO

M. Oltre a part-time orizzontale e verticale esiste anche il contratto
part-time misto. sì NO

N. Con il contratto part-time verticale, il datore di lavoro non può
cambiare l'orario. sì NO

Ne

■ Il *ne* partitivo sostituisce il pronome diretto quando indica una **quantità**

▶ **ES.** *Ho preso mezzo chilo di* **pane.** → **Ne** *ho preso mezzo chilo.* | *Prendo ancora un po' di* **torta.** → **Ne** *prendo ancora un po'.* | *Sono rimasti solo due* **biglietti.** → **Ne** *sono rimasti due.* | *Non conosco nessun* **albergo** *a Venezia.* → *Non* **ne** *conosco nessuno.*

Attenzione: con *tutto/i/a/e* non si usa *ne* ma i pronomi diretti *lo, la, li, le*

▶ **ES.** *Voglio* **tutte** *le mele.* → **Le** *voglio* **tutte.** | *Voglio* **due** *mele.* → **Ne** *voglio* **due.**

Il *ne* partitivo segue le stesse regole dei pronomi:

- con l'infinito e l'imperativo si trova dopo il verbo ▶ **ES.** *Compra un chilo* **di patate.** → *Compra****ne*** *un chilo.* | *Devo comprare un chilo* **di pane.** → *Devo comprar****ne*** *un chilo.*

- nel passato prossimo, il participio passato concorda in genere e numero con il nome che il *ne* sostituisce ▶ **ES.** *I* **panini** *erano buonissimi,* **ne** *ho mangiati tre!* | *Al mercato avevano delle bellissime* **magliette** *in offerta,* **ne** *ho prese due di colori diversi.*

■ Il *ne* può **sostituire una parola o una frase** che inizia con la preposizione *di*

▶ **ES.** *Cosa pensi* **di questa cosa?** → *Cosa* **ne** *pensi?*

3 Riscrivi le frasi usando i pronomi diretti, indiretti o il partitivo *ne* per sostituire le parole evidenziate, come negli esempi.

A. Marco prepara **la pasta.** → *Marco la prepara.*

B. Elena scrive **a Giorgia.** → *Elena le scrive.*

C. Mio figlio ha mangiato **quattro biscotti.** → *Mio figlio ne ha mangiati quattro.*

D. Di' **ai tuoi genitori** che li saluto. →

E. Compra due chili di **mele.** →

F. Hai visto **i miei fratelli?** →

G. Voglio regalare una bambola **alle mie figlie.** →

H. Prendo ancora una fetta **di torta!** →

I. Mi sono dimenticata di telefonare **a mia nonna!** →

L. Posso avere ancora un po' **di riso?** →

M. Chiedo un'informazione **alla commessa.** →

4 Completa con i pronomi diretti, indiretti, combinati o con il partitivo *ne*.

A. È da tanto che non ci vediamo! Vieni qui, bacia_____ e abbraccia_____ .

B. Filippo è stato molto gentile, voglio preparar_____ un dolce per ringraziar_____ .

C. Scusa puoi ripetere? Qui c'è molto rumore e non _____ sento.

D. Ragazzi, se non _____ dite la verità non _____ crederemo più.

E. – Vuoi una sigaretta? – No, grazie, _____ ho fumate già tante oggi.

F. Stai cercando gli occhiali da mezz'ora, ancora non _____ hai trovati?

G. Grazie mamma! _____ voglio bene!

H. Hai comprato delle scarpe nuove? Sono curiosa, _____ fai vedere?

I. Domani mi piacerebbe andare al mare, cosa _____ pensi?

L. – Hai mandato la mail a Veronica? – No, ma _____ mando subito!

5 Completa il testo. Scegli la parola corretta tra quelle proposte.

Lavoro minorile: Ettore Scalpelli racconta la sua esperienza

Ho fatto diversi lavori nella mia vita e [1] fin da ragazzino. La mia prima esperienza è stata a 14 anni. Ho lavorato come aiuto pizzaiolo in una pizzeria del mio paese. L'ho fatto per imparare il [2] e per guadagnare soldi miei, senza chieder [3] a mio padre. Ho lavorato per circa un anno e mezzo. Lavoravo tutti i giorni, [4] il martedì. Iniziavo alle 16.00 e finivo a notte inoltrata. Mi davano circa 10 euro al giorno, anche se normalmente un aiuto pizzaiolo [5] guadagna 10 all'ora. All'inizio mi trovavo bene con il mio [6] , ma poi i rapporti sono diventati più difficili: lui non faceva [7] mentre io lavoravo tutto il giorno.

E poi che caldo! In estate davanti al forno c'erano 40 gradi! A volte prendevo l'acqua [8] dal freezer e me [9] buttavo addosso, dopo 2 secondi ero asciutto.

Dopo vari litigi ho deciso di andarmene, mi sentivo usato, ho chiesto anche [10] , volevo almeno 20 euro al giorno, ma mi hanno detto di no. Ormai avevo capito che mi stavano sfruttando.

1. A. ◯ ho iniziato   B. ◯ iniziavo   C. ◯ ha iniziato
2. A. ◯ fatica   B. ◯ mestiere   C. ◯ stipendio
3. A. ◯ li   B. ◯ le   C. ◯ gli
4. A. ◯ più   B. ◯ ancora   C. ◯ tranne
5. A. ◯ li   B. ◯ le   C. ◯ ne
6. A. ◯ capitano   B. ◯ capo   C. ◯ comandante
7. A. ◯ niente   B. ◯ qualcosa   C. ◯ qualcuno
8. A. ◯ calda   B. ◯ ghiacciata   C. ◯ tiepida
9. A. ◯ le   B. ◯ la   C. ◯ ne
10. A. ◯ l'incremento   B. ◯ le ferie   C. ◯ l'aumento

◆6 **Completa i messaggi con la parola opportuna.**

A. Carlo, se arrivi ancora in ritardo al lavoro .... licenzio!

B. Il cliente aspetta una risposta, ... dobbiamo mandare una mail entro le 18.

C. Gianni ha chiesto l'aumento, chissà se .... danno.

D. Adesso non ho tempo di spiegarti, te .... parlo dopo il lavoro.

E. Domani ho un colloquio fuori città ma ho la macchina rotta, ... vado in treno.

COMPRENSIONE DELL'ASCOLTO

7 🎧⁹ Ascolta i testi. Poi completa le frasi: scegli una delle tre proposte di completamento.

1. Franca

A. ◯ la prossima settimana inizia un nuovo lavoro.

B. ◯ vuole fare una cena.

C. ◯ ha fatto un colloquio che è andato male.

2. La signora Rossi

A. ◯ va in vacanza per 5 mesi.

B. ◯ vuole fare un regalo alla nipote.

C. ◯ deve trovare qualcuno che la aiuti con il cane.

3. Durante le sue vacanze in Puglia, Elena

A. ◯ ha trovato le spiagge affollate.

B. ◯ ha usato i mezzi pubblici.

C. ◯ ha evitato il traffico.

4. L'ospite dell'albergo

A. ◯ deve prendere un treno nel pomeriggio.

B. ◯ può lasciare i bagagli in camera.

C. ◯ deve partire alle 12.

5. L'annuncio di lavoro

A. ◯ comunica che le selezioni finiscono il 22 luglio.

B. ◯ dice che bisogna candidarsi in via Trieste a Bergamo.

C. ◯ si rivolge a tutte le persone in cerca di lavoro.

6. Lo sportello lavoro

A. ◯ è aperto di giovedì mattina.

B. ◯ è accessibile solo su appuntamento telefonico.

C. ◯ è rivolto a tutti i tipi di lavoratori.

7. Secondo la notizia

A. ◯ oggi in Italia ci sono più pensionati che lavoratori.

B. ◯ è diminuito il tasso di disoccupazione.

C. ◯ negli ultimi tre mesi il tasso di disoccupazione è rimasto inferiore al 10%.

8. L'imprenditore

A. ◯ è titolare di un'impresa della ristorazione.

B. ◯ ha fatto lavorare alcune persone senza contratto.

C. ◯ deve chiudere per sempre la sua attività.

8 🎧(10) Ascolta il testo che parla della regolamentazione del lavoro in Italia e poi leggi le affermazioni seguenti. Non tutte sono presenti nel testo. Indica se l'affermazione è presente (SÌ) o se NON è presente (NO).
Le affermazioni ripetono le stesse parole del testo.

A. modificabile in senso collettivo — sì / **NO**

B. escluse le ore di straordinario — sì / **NO**

C. normale orario di lavoro — sì / **NO**

D. non superare le 250 ore — sì / **NO**

E. diritto al riposo giornaliero — sì / **NO**

F. modalità e durata delle pause — sì / **NO**

G. in presenza di previsione contrattuale — sì / **NO**

H. che non rientra nell'orario — sì / **NO**

I. in regola divergenti — sì / **NO**

L. in giorni diversi — sì / **NO**

M. periodo annuale di ferie — sì / **NO**

N. il caso di risoluzione del rapporto — sì / **NO**

9 🎧(11) Ascolta il testo poi leggi le affermazioni seguenti. Non tutte sono presenti nel testo. Indica se l'affermazione è presente (SÌ) o se NON è presente (NO).
Le affermazioni riportano il contenuto del testo senza ripetere necessariamente le stesse parole.

A. Nel 2019 ci sono più disoccupati che negli anni precedenti. — sì / **NO**

B. I laureati trovano lavoro più facilmente. — sì / **NO**

C. Nadia ha scelto Scienze Politiche anche perché le piaceva. — sì / **NO**

D. Nadia non è soddisfatta della sua facoltà. — sì / **NO**

E. Nadia è disoccupata. — sì / **NO**

F. Nell'intervista Nadia spiega come trovare lavoro. — sì / **NO**

G. Secondo Nadia, le aziende cercano persone che abbiano già lavorato. — sì / **NO**

H. Gli stipendi dei neolaureati sono bassi. — sì / **NO**

PRODUZIONE ORALE

10 🎧 **12** Ascolta il racconto di Carlos, un signore di El Salvador, che racconta le sue esperienze lavorative in Italia.

Come raccontare la propria storia

■ In italiano ci sono alcune parole che ti aiutano a collocare gli eventi nel tempo e a metterli in relazione tra loro:

- **quando**: introduce una frase temporale ▶ **ES.** *Quando sono arrivato in Italia ero molto preoccupato.*

- **all'inizio**: serve per raccontare un fatto che è avvenuto prima di tutti gli altri nel nostro racconto ▶ **ES.** *All'inizio ho lavorato come cameriere.* | *All'inizio è stato difficile.*

- **dopo**: indica un tempo successivo, in modo indeterminato o precisando la distanza nel tempo da un altro fatto ▶ **ES.** *Dopo due anni.*

- **prima**: indica un tempo precedente rispetto a un altro fatto ▶ **ES.** *Prima era un lavoro a chiamata e poi sono stato assunto a tempo indeterminato.*

- **poi**: indica un tempo successivo, in modo indeterminato ▶ **ES.** *Prima era un lavoro a chiamata e **poi** sono stato assunto a tempo indeterminato.*

- **mentre**: si usa quando vogliamo raccontare due fatti che avvengono nello stesso momento ▶ **ES.** *Mentre lavoravo ho seguito un corso di formazione.*

- **alla fine**: serve per raccontare un fatto che è avvenuto dopo tutti gli altri nel nostro racconto ▶ **ES.** *Alla fine ho lasciato il lavoro dipendente.*

- **adesso**: serve per indicare il tempo presente, qualcosa che succede nel momento in cui si sta parlando ▶ **ES.** *Adesso sono molto soddisfatto.*

11 Leggi la tabella e utilizza le strutture illustrate per raccontare la tua storia lavorativa da quando sei arrivato in Italia.

FUNZIONE	ESEMPIO	
Introdurre una frase temporale	**Quando** sono arrivato in Italia ero molto preoccupato per il lavoro.	*Quando sono arrivato in Italia…*
Raccontare degli avvenimenti in sequenza	**All'inizio** ho lavorato come cameriere anche se nel mio Paese ho studiato come elettricista. **Dopo** due anni così, ho deciso di cambiare lavoro.	*All'inizio… dopo…*
	Prima era un lavoro a chiamata e **poi** sono stato assunto a tempo indeterminato.	*Prima… poi…*
Raccontare due avvenimenti contemporanei	**Mentre** lavoravo ho seguito un corso di formazione su come avviare un'attività autonoma.	*Mentre…*
Raccontare l'ultimo fatto	**Alla fine** ho lasciato il lavoro dipendente e ho aperto la mia piccola impresa di ristrutturazioni.	*Alla fine…*
Raccontare qualcosa che succede al tempo presente	**Adesso** sono molto soddisfatto.	*Adesso…*

12 Ora chiudi il libro, parla con un amico e raccontagli la tua storia lavorativa. Se sei da solo, puoi registrare la tua voce sullo smartphone e riascoltarti per esercitarti.

COMPRENSIONE DELLA LETTURA

1 Leggi il testo e rispondi alla domanda.

La Guardia medica offre assistenza sanitaria gratuita per le urgenze notturne e nei giorni festivi e prefestivi, fornendo interventi domiciliari o presso apposite strutture, negli orari non coperti dal medico di famiglia.

Quando necessario, può prescrivere medicine, ma solo per terapie a carattere di urgenza e per il fabbisogno di due o tre giorni. Può presentare proposte di ricovero ospedaliero e rilasciare certificati di malattia per i lavoratori per un massimo di tre giorni.

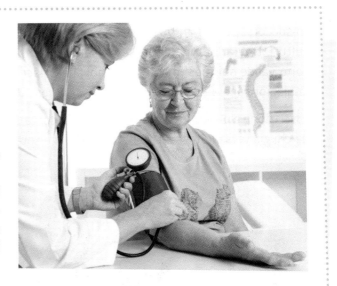

La Guardia medica

A. ◯ fornisce cure anche a casa del paziente.

B. ◯ può prescrivere medicine di qualunque tipo.

C. ◯ è in funzione solamente di notte.

2 Leggi il testo, poi leggi le affermazioni seguenti. Non tutte sono presenti nel testo. Indica se l'affermazione è presente (SÌ) o se NON è presente (NO).

L'assistenza sanitaria per i cittadini stranieri

La tessera sanitaria è il documento che dà accesso a tutte le prestazioni sanitarie in Italia, alla richiesta di medicine passate dalla Mutua, all'assistenza del medico di base e del pediatra di famiglia.

I cittadini stranieri che stanno in Italia meno di tre mesi sono curati per le prestazioni urgenti pagando i relativi costi. Se restano più di tre mesi, devono iscriversi al Servizio Sanitario Nazionale (SSN) ma devono essere in possesso di un permesso di soggiorno regolare e in corso di validità.

Per richiedere la tessera sanitaria occorre rivolgersi alla propria ATS (ex ASL, uffici amministrativi) di appartenenza e presentare il codice fiscale e il certificato di residenza.

Gli stranieri irregolari hanno ugualmente diritto all'assistenza sanitaria necessaria: pronto soccorso, visite ambulatoriali, eventuali ricoveri, pediatra per i minori, servizi dei consultori. Dovranno richiedere le tessere STP che danno diritto all'assistenza di base e che sono valide sei mesi ma sono rinnovabili. L'accesso alle cure sanitarie non comporta segnalazioni alle autorità.

L'iscrizione al Servizio Sanitario Nazionale costa 388 euro l'anno, questa quota non è dovuta da chi già versa le tasse. L'iscrizione al SSN è totalmente gratuita per i rifugiati e gli asilanti, per i coniugi stranieri a carico di un cittadino italiano e per i minori.

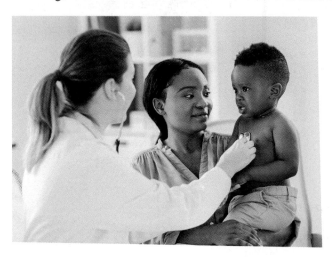

La tessera sanitaria va periodicamente rinnovata. Per gli stranieri però l'iscrizione al SSN finisce automaticamente quando non viene rinnovato o viene annullato il permesso di soggiorno e nei casi di espulsione dal territorio nazionale. In presenza di un ricorso contro questi provvedimenti si può ancora beneficiare dell'assistenza sanitaria.

A. La tessera sanitaria garantisce l'accesso alle cure mediche. sì NO

B. Senza tessera sanitaria non è possibile comprare medicinali. sì NO

C. L'iscrizione al Servizio Sanitario Nazionale è obbligatoria per tutti i cittadini stranieri. sì NO

D. Per avere la tessera sanitaria è necessario un contratto di lavoro. sì NO

E. Per avere la tessera sanitaria sono necessari altri documenti. sì NO

F. Le cure mediche sono garantite solo a chi ha un regolare permesso di soggiorno. sì NO

G. Gli stranieri irregolari devono rinnovare la tessera ogni sei mesi. sì NO

H. Per i cittadini che pagano le tasse, l'iscrizione al Servizio Sanitario Nazionale è gratuita. sì NO

I. La tessera sanitaria dà diritto al permesso di soggiorno. sì NO

L. Per chi ha meno di 18 anni, l'iscrizione al Servizio Sanitario Nazionale è sempre gratuita. sì NO

M. La tessera sanitaria non scade mai. sì NO

N. Se un cittadino straniero viene espulso dall'Italia, termina la sua iscrizione al SSN. sì NO

Ci

■ Usiamo **la particella** *ci*

- per non ripetere un luogo di cui abbiamo già parlato ▶ **ES.** *Buono quel* **ristorante**, *ci vado spesso.* | *Mi piacerebbe andare* **in Sicilia**, *non* **ci** *sono mai stata!*

- per sostituire una parola o una frase introdotta dalle preposizioni *a, su, in, con*
  ▶ **ES.** *Non voglio buttare quel vestito,* **ci** *tengo moltissimo. (ci = a quel vestito)* | *Luca ha detto che mi aiuterà a pulire la casa, ma io non* **ci** *conto. (ci = su di lui)* | *– Credi nel karma? – Sì,* **ci** *credo. (ci = nel karma)* | *– Hai parlato con Monica? – No,* **ci** *parlo dopo. (ci = con lei)*

- in alcune espressioni, ad esempio con i verbi *mettere, vedere, volere, sentire*
  ▶ **ES.** *Mia nonna è sorda, non* **ci sente**! | *Quanto* **ci metti** *ad arrivare al lavoro?* | *Quanto* **ci vuole** *per andare da Milano a Torino in treno?* | *Devo mettere gli occhiali, non* **ci vedo** *niente!*

- nella lingua parlata, quando rispondiamo a una domanda con il verbo *avere.* In questo caso, *ci* diventa *ce* ▶ **ES.** *– Hai una penna? – Sì,* **ce** *l'ho.* | *– Hai 10 euro da prestarmi? – Mi dispiace, non* **ce** *li ho.*

3 **Leggi le frasi e scrivi che cosa sostituisce la particella *ci*, come nell'esempio.**

A. Vuoi che ti accompagni dal dentista o ci vai da solo? → CI = *dal dentista*

B. – Paolo ha detto che si vuole fare prete. – Davvero? non ci posso credere!
→ CI = ...

C. Veronica è insopportabile, io non ci parlo! → CI = ...

D. – Dobbiamo fare la spesa. – Va bene ci penso io. → CI = ...

E. Che bella casa tua, non ci ero mai stata. → CI = ...

F. Ben ha detto che arriva tra cinque minuti, ma non ci conterei, è sempre in ritardo.
→ CI = ...

4 **Completa con *ci* o *ne*.**

A. È da molto che non vedo Irina, ma non .... sento la mancanza.

B. Abbiamo riempito il frigorifero di fragole, ... abbiamo prese 5 etti!

C. – Sei mai stata in Brasile? – No, non .... sono mai stata.

D. Hai visto cosa è successo? Non .... posso credere!

E. Ti volevo dire una cosa, ma me .... sono dimenticato!

F. Smettiamola di litigare, io .... tengo a te!

G. Hai visto il nuovo film di Sorrentino? .... vale la pena.

H. – Vieni al cinema? – No, non .... vengo.

I. – Conosci le opere di Modigliani? – No, non .... so nulla.

L. – Perché non vai dal medico? – .... andrò domani, te lo prometto.

 Completa il testo. Scegli la parola corretta tra quelle proposte.

Anziano si sente male e gli rubano le collanine
Salvato con il defibrillatore, è caccia al ladro

Lunedì pomeriggio alle 15.30 un uomo di 82 anni ha avuto un malore in via Rondelli a Cesena, proprio [1] alla farmacia ma i soccorsi tempestivi e l'uso del defibrillatore in dotazione alla farmacia gli hanno salvato la vita.

Attualmente le sue condizioni sono stabili, ma di certo, se non si fosse intervenuti in tempi così rapidi, la conclusione di questa storia sarebbe stata purtroppo [2] . Ancora una volta l'uso del defibrillatore si è rivelato fondamentale per intervenire in maniera efficace in caso di arresto cardiaco.

Purtroppo però la vicenda cela un risvolto decisamente meno positivo: appena prima che l'uomo fosse soccorso, [3] che stava passando per via Rondelli, invece di prestare il suo aiuto, [4] ha approfittato per [5] le collanine che l'uomo portava [6] addosso. Carabinieri e polizia stanno indagando sull'accaduto.

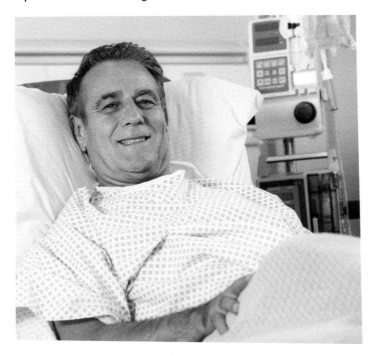

«Vorrei ringraziare di cuore le persone che hanno salvato [7] padre» dichiara la figlia. E aggiunge: «Era uscito per andare a fare una commissione, mi ero offerta di accompagnarlo ma ha detto che [8] voleva andare da solo. Ora spero che le sue condizioni migliorino: anche il primario di cardiologia dove è [9] ha rimarcato come l'intervento tempestivo con il defibrillatore sia stato decisivo per salvargli la vita, per questo [10] vorrebbe un defibrillatore in ogni farmacia».

1. A. ◯ lontano   B. ◯ davanti   C. ◯ presso

2. A. ◯ uguale   B. ◯ felice   C. ◯ diversa

3. A. ◯ alcuni   B. ◯ qualcuno   C. ◯ nessuno

4. A. ◯ ci   B. ◯ lo   C. ◯ ne

5. A. ◯ dare   B. ◯ lasciare   C. ◯ rubare

6. A. ◯ sempre   B. ◯ mai   C. ◯ quando

7. A. ◯ tuo   B. ◯ suo   C. ◯ mio

8. A. ◯ ci   B. ◯ li   C. ◯ ne

9. A. ◯ assicurato   B. ◯ ricoverato   C. ◯ seduto

10. A. ◯ si   B. ◯ ne   C. ◯ ci

6 **Completa i messaggi con la parola opportuna.**

A. Ho preso una pastiglia per il mal di testa, ma ce .... vorrebbe un'altra.

B. .... dai un consiglio? Siamo indecisi.

C. È tanto che non vedo Luisa: l'ultima volta .... ho vista più di due mesi fa.

D. Ragazzi, ho saputo una bella cosa, ma non posso dir............... .

E. Hanno aperto una nuova discoteca. .... andiamo domani?

COMPRENSIONE DELL'ASCOLTO

7 🎧 **Ascolta i testi. Poi completa le frasi: scegli una delle tre proposte di completamento.**

1. Giorgio

A. ⬤ sicuramente non andrà al concerto.

B. ⬤ è in vacanza con la moglie.

C. ⬤ ha un figlio malato.

2. Il certificato medico

A. ⬤ è obbligatorio solo per il corso di nuoto.

B. ⬤ comprende un esame cardiologico.

C. ⬤ si può fare solo la prossima settimana.

3. La signora

A. ⬤ va subito a comprare le medicine.

B. ⬤ prenota una visita specialistica.

C. ⬤ è preoccupata per Mario.

4. Il signor Fabi

A. ⬤ ha chiamato i carabinieri.

B. ⬤ è fermo a Follonica.

C. ⬤ è rimasto a piedi.

5. L'annuncio

A. ⬤ parla di una promozione dedicata ai papà.

B. ⬤ dice che le aragoste sono scontate del 40%.

C. ⬤ dice che regalano 20 euro a tutti i papà.

6. L'offerta

A. ⬤ è sempre a 9,90 €.

B. ⬤ è limitata nel tempo.

C. ⬤ riguarda solo i film.

7. Nelle scuole francesi

A. ⬤ non si mangerà né carne né pesce una volta a settimana.

B. ⬤ vengono completamente eliminate le proteine animali.

C. ⬤ i genitori hanno scelto di preparare il cibo per i figli.

8. La notizia dice che

A. ⬤ per ridurre il rischio di infarto bisogna dormire tutti i pomeriggi.

B. ⬤ dormire il pomeriggio riduce del 50% le possibilità di avere un ictus.

C. ⬤ i ricercatori dell'ospedale universitario hanno tra i 30 e i 70 anni.

8 🎧 **14** Ascolta il testo che parla dei vaccini obbligatori nelle scuole e poi leggi le affermazioni seguenti. Non tutte sono presenti nel testo. Indica se l'affermazione è presente (SÌ) o se NON è presente (NO).

Le affermazioni ripetono le stesse parole del testo.

A. i numeri di vaccini dell'obbligo — sì NO

B. possono essere omesse o riferite — sì NO

C. violazione dell'obbligo vaccinale — sì NO

D. ha dovuto segnalare — sì NO

E. contrastare il progressivo calo — sì NO

F. ai nati nel 2017 — sì NO

G. per ammettere all'asilo — sì NO

H. possono accedere comunque — sì NO

I. sono normalmente ingeriti — sì NO

L. campagna straordinaria di sensibilizzazione — sì NO

M. formazione del personale docente — sì NO

N. i ragazzi già immunizzati — sì NO

9 🎧 **15** Ascolta il testo poi leggi le affermazioni seguenti. Non tutte sono presenti nel testo. Indica se l'affermazione è presente (SÌ) o se NON è presente (NO). Le affermazioni riportano il contenuto del testo senza ripetere necessariamente le stesse parole.

A. Lucia cambierebbe il suo lavoro per essere più felice. — sì NO

B. Il lavoro al 118 non è il primo impiego di Lucia. — sì NO

C. Per lavorare sull'auto medica bisogna essere molto coraggiosi. — sì NO

D. Medico e infermiere devono agire velocemente. — sì NO

E. L'auto medica aiuta l'ambulanza nei casi più gravi. — sì NO

F. Il medico del 118 dà la terapia e poi fa la diagnosi. — sì NO

G. Medico e infermiere devono vestire comodamente. — sì NO

H. L'auto medica può inviare l'elettrocardiogramma all'ospedale. — sì NO

PRODUZIONE ORALE

 10 Ascolta la conversazione: Selma si è appena trasferita in una nuova città. Suo figlio non si sente bene e Selma chiede consigli alla vicina.

Come esprimere preoccupazione e chiedere consigli

■ Per esprimere preoccupazione possiamo usare queste espressioni:

- sono (molto) preoccupata/o perché/per ▶ **ES. *Sono molto preoccupata*** *perché mio figlio ha la febbre alta.* | ***Sono preoccupata*** *per mio figlio che è malato.*

- ho paura di + infinito ▶ **ES. *Ho paura di*** *dover aspettare troppo.*

■ Per chiedere un consiglio possiamo usare queste formule, formali o informali a seconda del contesto:

- avrei bisogno di un consiglio (formale o informale) ▶ **ES.** *Scusi se la disturbo,* ma ***avrei bisogno di un consiglio***.

- lei cosa mi consiglia?/lei cosa ne dice? (formale) oppure tu cosa mi consigli?/tu cosa ne dici? (informale)

- mi può consigliare...? (formale) oppure mi puoi consigliare...? (informale) ▶ **ES. *Mi può consigliare*** *un buon medico di base nella zona?*

■ Per esprimere un'intenzione su cui richiedere un consiglio possiamo usare **pensavo di + infinito** ▶ **ES. *Pensavo di*** *andare al pronto soccorso... Lei cosa ne dice?* | ***Pensavo di*** *mettere il vestito rosso... Tu cosa ne dici?*

■ Per accettare un consiglio possiamo usare **farò sicuramente così** ▶ **ES.** *– Se stai male, perché non vai dal medico? – Hai ragione,* ***farò sicuramente così***.

■ In generale per richiamare l'attenzione di una persona a cui vogliamo fare una richiesta possiamo usare la formula **Scusi se la disturbo** (formale) oppure **Scusa se ti disturbo** (informale) ▶ **ES. *Scusi se la disturbo***, *che orari fa la farmacia?*

11 Leggi la tabella e utilizza le strutture illustrate per dire che non ti senti bene e chiedere consiglio. Scegli se dare del Lei o del tu.

FUNZIONE	ESEMPIO	
Richiamare l'attenzione	*Scusi se la disturbo,* ma *avrei bisogno di* un consiglio.	*Scusi se la disturbo, ma avrei bisogno di...*
Esprimere preoccupazione	*Sono molto preoccupata* perché mio figlio ha la febbre alta.	*Sono preoccupata/o per/ perché...*
	Ho paura di dover aspettare troppo.	*Ho paura di...*
Chiedere un consiglio	*Lei cosa mi consiglia?* *Lei cosa ne dice?* *Mi può consigliare...*	
Esprimere un'intenzione su cui richiedere il consiglio	*Pensavo di* andare al pronto soccorso...	*Pensavo di...*
Accettare un consiglio	*Farò sicuramente così.*	

12 Ora chiudi il libro, parla con un amico, raccontagli che sei preoccupato per qualcosa e chiedigli un consiglio. Se sei da solo, puoi registrare la tua voce sullo smartphone e riascoltarti per esercitarti.

Famiglie e tradizioni

COMPRENSIONE DELLA LETTURA

1 Leggi il testo e rispondi alla domanda.

Hai una famiglia con almeno 3 figli minori a carico e un reddito annuo pari o non superiore a 30.000 euro?

Richiedi la CARTA FAMIGLIA, il bonus per famiglie numerose che ti fa ottenere sconti su moltissimi beni e servizi quali:

CARTA FAMIGLIA

- abbonamento famiglia per trasporti pubblici
- acquisto di beni e servizi in negozi convenzionati
- bonus spesa
- abbonamenti famiglia per cultura, sport e turismo

Per richiedere la carta ti basterà presentare al Comune di residenza l'apposito modulo di domanda carta famiglia, il modello ISEE e pagare i costi di emissione della carta.

La tessera sconti ha una validità di 2 anni.

Ti aspettiamo!

La carta famiglia

A. ⬤ è gratuita per chi ha un reddito annuo non superiore a 30.000 euro.

B. ⬤ è dedicata alle famiglie con tre o più figli di età inferiore ai 18 anni.

C. ⬤ fa ottenere prodotti gratuiti nei negozi convenzionati.

2 Leggi il testo, poi leggi le affermazioni seguenti. Non tutte sono presenti nel testo. Indica se l'affermazione è presente (SÌ) o se NON è presente (NO).

La nuova famiglia italiana

La prima ricerca su convivenze, relazioni e stili di vita delle famiglie ci mostra come sono cambiate le abitudini delle famiglie italiane.

Le famiglie italiane del 2018 sono per lo più formate da coppie con figli (38,1%). La seconda composizione famigliare più numerosa è quella delle persone sole (28,4%), seguono le coppie senza figli (24,7%) e i nuclei composti da un solo genitore e un solo figlio (8,8%). Il primo dato che notiamo quindi è che nella maggioranza dei nuclei abitativi italiani (53,1%) non sono presenti dei figli.

Una parte della ricerca si concentra sulle dotazioni tecnologiche e informatiche delle famiglie italiane: la televisione rimane lo strumento mediatico più diffuso nelle case degli italiani. Il 97% delle famiglie possiede almeno una televisione, il 95% un telefono cellulare o smartphone, mentre poco meno della metà dispone di un pc portatile (48,1%) e solo il 26,4% di un tablet. In totale, l'82% delle famiglie italiane è collegata a internet.

Ma che influenza hanno tutti questi dispositivi sui rapporti interni alla famiglia? Dall'analisi dei dati, la televisione sembra ricoprire un ruolo di aggregatore familiare: nel 65,7% dei casi il numero di apparecchi televisivi è inferiore al numero dei componenti della famiglia, a suggerire il fatto che guardare la TV sembra essere rimasta un'attività da svolgere assieme agli altri.

Al contrario, gli smartphone sembrano non favorire la comunicazione in famiglia. Il 97,2% dei 18-34enni possiede uno smartphone, contro l'85,8% dei 35-64enni e il 27,8% degli anziani. Per sua natura, e grazie alla connessione mobile, lo smartphone è uno strumento strettamente personale, che permette all'utente di usufruirne in maniera solitaria. Quasi 28 milioni di italiani lo utilizzano di notte, mentre 11,8 milioni lo indicano tra le cause di problemi di relazioni in famiglia.

A. Il numero di figli nelle famiglie italiane è diminuito.   sì NO

B. In oltre la metà delle case italiane non ci sono figli.   sì NO

C. Le coppie senza figli sono in numero superiore rispetto alle coppie con figli.   sì NO

D. In ogni casa italiana c'è un televisore.   sì NO

E. La radio è meno utilizzata della televisione.   sì NO

F. Il tablet è lo strumento meno utilizzato.   sì NO

G. La maggior parte delle famiglie italiane possiede un collegamento a internet.   sì NO

H. Nelle case italiane ci sono in media più televisori che componenti della famiglia.   sì NO

I. L'uso degli smartphone non aiuta i rapporti familiari.   sì NO

L. La ricerca non fornisce dati sul possesso degli smartphone tra i minorenni.   sì NO

M. L'eccessivo uso dello smartphone è dannoso per la salute.   sì NO

N. Alcuni italiani pensano che lo smartphone provochi problemi in famiglia.   sì NO

Le preposizioni articolate

■ *Di, a, da, in, con, su, per, tra, fra* sono le **preposizioni semplici**.

■ Qualche volta le preposizioni semplici sono seguite da un articolo determinativo. In questo caso le preposizioni *di, a, da, in, su* si uniscono all'articolo e formano una **preposizione articolata**. Le preposizioni *con, per, tra, fra* non si uniscono all'articolo.

	DI	A	DA	IN	CON	SU	PER	TRA	FRA
IL	del	al	dal	nel	-	sul	-	-	-
LO	dello	allo	dallo	nello	-	sullo	-	-	-
LA	della	alla	dalla	nella	-	sulla	-	-	-
I	dei	ai	dai	nei	-	sui	-	-	-
GLI	degli	agli	dagli	negli	-	sugli	-	-	-
LE	delle	alle	dalle	nelle	-	sulle	-	-	-

3 **Scegli la preposizione semplice o articolata.**

A. Davanti *a* / *al* Duomo di Firenze c'è il Battistero di San Giovanni.

B. In Italia, *nei* / *negli* anni Sessanta c'è stato il boom economico.

C. Vado *in* / *nella* camera a riposare, sono a pezzi.

D. Napoli è il capoluogo *di* / *della* Campania.

E. Penso spesso *a* / *alla* mia sorella, mi manca tanto.

F. Lui è il marito *di* / *della* mia amica Eleonora, lavora *in* / *nella* banca.

G. Maria e Virgilio sono andati ad abitare *in* / *nella* campagna.

H. Il treno per Roma parte *da* / *dal* binario 12.

I. *Tra i* / *Tra* miei amici, Alessia è la più simpatica.

L. La pizzeria Da Mimmo è lontana *da* / *dalla* casa mia.

4 ▶ Scegli la preposizione articolata.

A. *Ai* / *Agli* studenti prima di un esame si dice "in bocca al lupo".

B. Sono salita *nell'* / *sull'* autobus alla fermata di piazza Libertà.

C. In Italia il 17 è il numero *della* / *nella* sfortuna.

D. Ieri al parco mi sono seduto *nella* / *sulla* mia panchina preferita.

E. Sull'autobus è vietato parlare *al* / *del* conducente.

F. Per favore, assicurarsi che il portone *dell'* / *dall'* ingresso sia chiuso correttamente.

G. *Sul* / *Al* luogo di lavoro è necessario un abbigliamento opportuno.

H. Per piacere, guardami *nei* / *negli* occhi quando ti parlo.

I. Devi andare *ai* / *agli* uffici del Comune e chiedere l'atto di nascita.

L. Ormai a Milano nevica due volte *nell'* / *all'* anno.

5 ▶ Inserisci la preposizione articolata corretta.

A. Domani è domenica, andiamo _____ stadio?

B. Faccio sempre tardi al lavoro, non riesco a uscire _____ ufficio prima delle 19.

C. – Ma dov'è il gatto? – È lì, sta dormendo _____ divano.

D. Ahi, che mal di denti, devo assolutamente decidermi ad andare _____ dentista.

E. John e Mark si sono appena trasferiti in Italia _____ Stati Uniti.

F. – Di chi è quel motorino? – È _____ mia amica.

G. Per favore, prendi le chiavi _____ mia borsa.

H. Domani sera non posso venire da te, vado _____ mio fidanzato.

I. Ci vediamo domani davanti _____ cinema _____ 21.

L. Una corsa in taxi _____ stazione _____ aeroporto costa 60 euro.

Completa il testo. Scegli la parola corretta tra quelle proposte.

La Festa della Repubblica

Il 2 giugno si festeggia la Festa della Repubblica italiana proprio perché, [1] il 2 e il 3 giugno 1946, si è svolto un importante referendum: gli italiani hanno scelto di far [2] l'Italia una Repubblica costituzionale, mettendo fine alla monarchia, dopo 85 anni di regno dei Savoia.

La Festa della Repubblica è una [3] molto importante. In questa occasione si svolgono numerose iniziative e imponenti cerimonie ufficiali, ad esempio una [4] militare in onore della Repubblica attraversa via dei Fori imperiali a Roma fin [5] 1948.

[6] ultimi anni si è assistito a una progressiva riduzione della sfilata, per renderla [7] costosa. Ad esempio, alcuni reparti delle forze armate che usavano i carri armati, non partecipano più alla sfilata perché con le [8] vibrazioni rischiavano di causare danni ai [9] antichi che caratterizzano tutte le strade della Città Eterna.

Durante la parata si esibisce anche la pattuglia aerea acrobatica più numerosa del mondo, le famose Frecce Tricolore: per tutti quelli che assistono alla parata, questo rappresenta uno dei [10] più spettacolari.

1.	A. ○ tra	B. ○ per	C. ○ da
2.	A. ○ cambiare	B. ○ diventare	C. ○ modificare
3.	A. ○ giornata	B. ○ giorno	C. ○ serata
4.	A. ○ accusa	B. ○ sfilata	C. ○ corte
5.	A. ○ sul	B. ○ del	C. ○ dal
6.	A. ○ Agli	B. ○ Negli	C. ○ Sugli
7.	A. ○ meno	B. ○ inferiore	C. ○ minore
8.	A. ○ nostre	B. ○ sue	C. ○ loro
9.	A. ○ monumenti	B. ○ strade	C. ○ personaggi
10.	A. ○ ore	B. ○ attimi	C. ○ momenti

7 Completa i messaggi con la parola opportuna.

A. Ho deciso cosa regalare a Sonia: .... prendo una sciarpa in quel negozio in centro che le piace tanto.

B. Che sfortuna! Ho già comprato il biglietto per Parigi ma non posso andar .... perché sono malata.

C. Che buona quella torta, ... vorrei un'altra fetta.

D. Non ti preoccupare, vado io a fare la spesa e non .... dimenticherò di comprare il pane.

E. – Marta ha bisogno di un nuovo cellulare, perché non .... regali tu?
   – È un'ottima idea!

F. – Vorrei due biglietti per il treno per Napoli delle ore 11.45.
   – .... vuole di prima o seconda classe?

G. Non posso andare al concerto contro la violenza sulle donne, ma ho due biglietti, e penso di regalar........................ a Marco e Valeria.

H. Per il Festival Canoro sono state proposte un centinaio di canzoni ma .... sono state selezionate solo 12.

I. Signora venga a sedersi qui al mio posto, ... cedo volentieri.

L. – Vai spesso in discoteca? – Sì, ... vado tutti i sabati sera.

COMPRENSIONE DELL'ASCOLTO

8 🎧 ¹⁷ **Ascolta i testi. Poi completa le frasi: scegli una delle tre proposte di completamento.**

1. Il professore

A. ⬤ fa una pausa con gli studenti.

B. ⬤ ha bisogno di riposare.

C. ⬤ festeggia il Natale all'estero.

2. Teresita dice che

A. ⬤ trascorrerà qualche settimana nelle Filippine.

B. ⬤ ospiterà il cugino in Italia.

C. ⬤ non ha programmi per l'estate.

3. La signora

A. ⬤ vuole sapere fino a quando può iscrivere il figlio al corso.

B. ⬤ iscrive oggi suo figlio al corso di danza presso la scuola.

C. ⬤ non chiede informazioni su quanto costa il corso.

4. Il marito di Rebecca

A. ⬤ va a vedere la mostra sabato mattina.

B. ⬤ lavora su turni nei weekend.

C. ⬤ aiuta Rebecca nelle faccende di casa.

5. La pubblicità

A. ⬤ riguarda una promozione cinematografica.

B. ⬤ offre un piano tariffario annuale.

C. ⬤ propone un'offerta limitata nel tempo.

6. L'annuncio avverte i passeggeri che

A. ⬤ il treno arriverà con un forte ritardo.

B. ⬤ il biglietto può essere rimborsato integralmente.

C. ⬤ la destinazione del treno è Salerno.

7. La legge

A. ⬤ combatte la disuguaglianza tra uomini e donne.

B. ⬤ non sarà valida anche in Italia e in altri Stati.

C. ⬤ non precisa il periodo di congedo di paternità.

8. Quest'anno il Carnevale di Venezia

A. ⬤ festeggia il suo cinquantesimo anniversario.

B. ⬤ inizia con una sfilata per le strade di Venezia.

C. ⬤ vuole anche proteggere gli spettatori e la città.

9 🎧 ¹⁸ Ascolta il testo che parla della famiglia nella Costituzione e nel Codice Civile italiano e poi leggi le affermazioni seguenti. Non tutte sono presenti nel testo. Indica se l'affermazione è presente (SÌ) o se NON è presente (NO). **Le affermazioni ripetono le stesse parole del testo.**

A. il diritto alla famiglia sociale — SÌ NO

B. garante dell'unicità familiare — SÌ NO

C. istruire ed educare i figli — SÌ NO

D. assolti i loro compiti — SÌ NO

E. membri della famiglia legittima — SÌ NO

F. ricerca della paternità — SÌ NO

G. agevola a misura dell'economia — SÌ NO

H. favorendo gli istituti necessari — SÌ NO

I. assumono i medesimi lavori — SÌ NO

L. l'obbligo reciproco alla parità — SÌ NO

M. in relazione alle proprie sostanze — SÌ NO

N. mettendo in conto le complicità — SÌ NO

10 🎧 ¹⁹ Ascolta il testo poi leggi le affermazioni seguenti. Non tutte sono presenti nel testo. Indica se l'affermazione è presente (SÌ) o se NON è presente (NO). Le affermazioni riportano il contenuto del testo senza ripetere necessariamente le stesse parole.

A. La coppia ha iniziato a pensare di adottare figli dopo il matrimonio. — SÌ NO

B. La coppia voleva aiutare bambini senza una famiglia. — SÌ NO

C. Non è legale adottare figli prima del matrimonio. — SÌ NO

D. La coppia ha sostenuto costi molto alti per l'adozione. — SÌ NO

E. La coppia ha incontrato ostacoli burocratici durante il percorso. — SÌ NO

F. La coppia ha adottato solo bambini italiani. — SÌ NO

G. La coppia intervistata ha adottato due fratelli. — SÌ NO

H. La famiglia intervistata ha solo figli adottivi. — SÌ NO

11 **(20)** Ascolta Marius che commenta una legge italiana relativa al matrimonio.

Come esprimere un'opinione e argomentare

■ In italiano possiamo usare queste espressioni per esprimere il nostro parere:

- **secondo me** ▶ **ES.** *Secondo me significa che quando due persone si sposano devono avere gli stessi diritti e gli stessi doveri.*

- **per me** ▶ **ES.** *Per me è giusto dividersi i compiti.*

- **(non) sono d'accordo** ▶ **ES.** *Su questo sono d'accordo: non sopporto le disuguaglianze e la divisione netta dei ruoli all'interno della famiglia.*

■ Possiamo usare:

- **inoltre** per aggiungere un'informazione o un fatto ▶ **ES.** *Inoltre dice anche che gli uomini e le donne sono uguali davanti alla legge.*

- **addirittura** per esprimere la straordinarietà di un fatto ▶ **ES.** *Addirittura l'altro giorno la mia vicina non ha accettato di passare prima di me.*

---

12 Leggi la tabella e utilizza le strutture illustrate per commentare anche tu lo stesso articolo della legge italiana.

FUNZIONE	ESEMPIO	
Esprimere il proprio parere	*Secondo me* significa che quando due persone si sposano devono avere gli stessi diritti e gli stessi doveri.	Secondo me...
	Su questo *sono d'accordo*.	(Non) Sono d'accordo...
	Per me è giusto dividersi i compiti.	Per me...
Aggiungere un'informazione	*Inoltre* dice anche che gli uomini e le donne sono uguali davanti alla legge.	Inoltre...
Esprimere la straordinarietà di un fatto	*Addirittura* l'altro giorno la mia vicina non ha accettato di passare prima di me.	Addirittura...

13 Ora chiudi il libro, parla con un amico e commenta la legge sul matrimonio in Italia. Cosa ne pensi? È uguale nel tuo Paese?

COMPRENSIONE DELLA LETTURA

1 Leggi il testo e rispondi alla domanda.

> • *Rustici - Cascine - Case in vendita a Vigevano (PV)* •

CASA SEMINDIPENDENTE VIA UGO FOSCOLO, VIGEVANO

VIGEVANO - Situata in una caratteristica via del centro del paese, l'abitazione è disposta su 2 livelli ed è indicata sia come soluzione unifamiliare sia come soluzione bifamiliare. Attualmente l'immobile è composto da 2 appartamenti di 2 locali più servizi ciascuno, collegati sia internamente che esternamente. Con qualche piccola modifica può essere trasformato in una spaziosa abitazione con zona giorno al piano terra e zona notte al primo piano. All'esterno troviamo un ampio cortile con magazzino multiuso. L'immobile si presenta in buone condizioni generali, necessita solo di alcuni interventi di miglioria.

Potete trovare maggiori informazioni presso il nostro ufficio di Vigevano (PV), viale delle Industrie 43, dove i nostri consulenti saranno a vostra disposizione.

L'immobile

A. ⬤ è adatto solo per una famiglia.

B. ⬤ è collocato su due piani.

C. ⬤ si trova in viale delle Industrie.

2 Leggi il testo, poi leggi le affermazioni seguenti. Non tutte sono presenti nel testo. Indica se l'affermazione è presente (SÌ) o se NON è presente (NO).

Regolamento di condominio

Il regolamento condominiale contiene le norme riguardanti l'uso delle cose comuni ed è obbligatorio per gli edifici con numero di condomini superiore a 10.

In caso di mancato rispetto delle norme condominiali è prevista una sanzione da 200 a 800 euro.

Questi sono gli obblighi dei condomini:

- consentire l'ingresso dell'Amministratore nel proprio appartamento per i controlli necessari alla manutenzione;

- informare l'Amministratore dei lavori di ristrutturazione all'interno dei propri locali prima dell'inizio degli stessi;

- informare l'Amministratore di un'eventuale vendita;

- nel caso di assenza prolungata, indicare all'Amministratore il nominativo e il recapito di chi è in possesso delle chiavi dell'appartamento.

Questi invece i divieti:

- sui parapetti dei balconi e sui davanzali delle finestre non si possono mettere vasi o piante, a meno che queste non siano fissate in modo sicuro;

- è vietato disturbare gli altri condomini nelle ore di riposo diurno e notturno;

- non si possono gettare nei tombini e negli scarichi dei materiali che potrebbero ingombrare le tubature. Qualsiasi spesa per la riparazione sarà a carico di chi ha causato il danno;

- è vietato gettare acqua e rifiuti di qualsiasi genere da finestre e balconi.

L'Amministratore, che resterà in carica 2 anni, deve aver conseguito almeno il diploma di maturità e deve aver frequentato un corso apposito.

Ci sono delle norme che regolano il possesso di animali domestici e il loro accesso agli spazi condominiali, ma non esiste nessuna legge che vieti l'ingresso di animali domestici all'interno del condominio. Tuttavia, chi lascia gli animali per lungo tempo da soli è sanzionabile per omessa custodia.

A. Tutti gli edifici devono avere un regolamento condominiale. sì NO

B. Chi non rispetta le regole del condominio deve pagare una multa. sì NO

C. Non si può vietare l'accesso all'Amministratore nella propria casa. sì NO

D. È consentita la vendita dei locali previa comunicazione all'Amministratore. sì NO

E. Se vado via per molto tempo, devo dire all'Amministratore chi ha le chiavi del mio appartamento. sì NO

F. Bisogna avvisare l'Amministratore dopo aver fatto lavori di ristrutturazione. sì NO

G. Non si può giocare a pallone in cortile. sì NO

H. I rifiuti vanno smaltiti in appositi contenitori all'interno degli spazi condominiali. sì NO

I. L'Amministratore deve essere laureato. sì NO

L. L'Amministratore resta in carica per un periodo di tempo limitato. sì NO

M. Sono ammessi solo cani di piccola taglia all'interno degli spazi condominiali. sì NO

N. Non si possono lasciare animali incustoditi per lunghi periodi. sì NO

Avverbi e congiunzioni

■ **Comunque** è un avverbio e una congiunzione; come congiunzione, vuol dire *in qualunque modo* ed è seguito da un verbo al congiuntivo ▶ **ES.** *Comunque vadano le cose, io sarò sempre tuo amico.*

Quando è da solo è avverbio e ha un significato simile a *in ogni caso / in ogni modo*
▶ **ES.** *Comunque ci penserò io.*

■ **Altrimenti** è un avverbio e vuol dire *in caso contrario / se no* ▶ **ES.** *Dobbiamo pagare le spese condominiali altrimenti prendiamo la multa.*

■ **Soprattutto** è un avverbio che significa *prima / più di ogni altra cosa* ▶ **ES.** *Soprattutto voglio una casa economica.*

Con significato più generico vuol dire *in particolare / specialmente* ▶ **ES.** *Mi piacciono i miei vicini, soprattutto la signora del terzo piano.*

■ **Finalmente** è un avverbio e si usa quando si avvera una cosa che si aspettava da tempo
▶ **ES.** *Finalmente ho trovato la casa dei miei sogni.*

3 Collega le frasi.

A. ☐ Ti sto aspettando da un'ora,

B. ☐ Devi studiare per l'esame

C. ☐ Non si capisce se pioverà o no,

D. ☐ Ho tanti sogni nel cassetto,

1. comunque prendo l'ombrello.

2. soprattutto vorrei laurearmi.

3. altrimenti sarai bocciato.

4. finalmente sei arrivato!

4 Trasforma le frasi: sostituisci le parole sottolineate scegliendo tra *comunque, soprattutto, altrimenti, finalmente,* come nell'esempio.

A. Se non piove andrò a scuola in bicicletta, in caso contrario andrò con la macchina di mia moglie. → Se non piove andrò a scuola in bicicletta, *altrimenti* andrò con la macchina di mia moglie.

B. Non vado d'accordo con i miei nuovi colleghi, in particolare con Giovanni, il direttore commerciale. → Non vado d'accordo con i miei nuovi colleghi, ... con Giovanni, il direttore commerciale.

C. Ci sono regole non scritte che vanno seguite in ogni caso. → Ci sono regole non scritte che vanno .... seguite.

D. Da tanto tempo volevo vedere Patti Smith in concerto, la prossima settimana canterà nella mia città, <u>era ora</u>! → Da tanto tempo volevo vedere Patti Smith in concerto, la prossima settimana _____ canterà nella mia città!

E. Non pensavo che fossi sposata, <u>se no</u> non ti avrei invitata a cena! → Non pensavo che fossi sposata, _____ non ti avrei invitata a cena!

5 **Inserisci la parola corretta: scegli tra _comunque, altrimenti, soprattutto, finalmente_.**

A. Non bevo spesso, _____ a pranzo.

B. Dopo tanti giorni di pioggia sembra che _____ domani ci sarà il sole.

C. Anche se studiassi tutta la notte non passerei _____ l'esame: è troppo difficile.

D. Mi piacciono tantissimo gli animali, _____ i cavalli.

E. Devo avvisare mia mamma che non torno a cena, _____ si preoccupa.

F. Anche se ti trasferirai in un'altra città, saremo _____ amici.

G. Dobbiamo correre, _____ perderemo il treno.

H. _____ sono arrivate le vacanze, non ne potevo più di andare a scuola!

6 **Completa il testo. Scegli la parola corretta tra quelle proposte.**

A Perugia Festa dei Vicini di casa

La prima edizione della Festa dei Vicini [1] un successo: oltre 2000 persone si sono ritrovate nei 22 punti di incontro promossi dai cittadini e dalle associazioni presenti sul [2] . Tutti hanno contribuito portando cibo, musica, bevande, tavoli, sedie, gazebo, giochi per bambini.

La Festa dei Vicini è nata per riscoprire i rapporti d' [3] e di buon vicinato e la gioia di condividere insieme un momento di festa. Nell'era dei social network la festa si è posta tra gli obiettivi quello di recuperare i rapporti umani. Rita Tomasi, una delle organizzatrici, spiega: "Vogliamo che le persone si incontrino e non che parlino solo attraverso i social network, [4] rischiamo di perdere il vero significato dell'amicizia". ⟶

Il valore della manifestazione è indiscutibile, così come la sua unicità, [5] oggi dove nelle grandi città [6] non sappiamo neanche chi abita nell'appartamento vicino [7] nostro. Gli organizzatori avevano da tempo il progetto nel cassetto, ma per problemi economici non sono mai riusciti a realizzar [8] . "I commercianti della zona hanno [9] capito l'importanza della manifestazione e hanno contribuito all'iniziativa, permettendoci di realizzarla", prosegue Rita Tomasi. "Stiamo già pensando alla prossima edizione, speriamo di ritrovare lo stesso entusiasmo da parte degli sponsor, ma noi siamo molto determinati e la realizzeremo [10] ".

1.   A.   è stata   B.   era   C.   sono stati

2.   A.   terreno   B.   territorio   C.   zona

3.   A.   gioia   B.   emozione   C.   amicizia

4.   A.   comunque   B.   finalmente   C.   altrimenti

5.   A.   soprattutto   B.   comunque   C.   finalmente

6.   A.   mai   B.   raramente   C.   spesso

7.   A.   a   B.   al   C.   del

8.   A.   la   B.   gli   C.   lo

9.   A.   raramente   B.   altrimenti   C.   finalmente

10.   A.   altrimenti   B.   comunque   C.   soprattutto

7 **Completa i messaggi con la parola opportuna.**

A. Ho visto online una casa molto grande e luminosa, domani vado a visitar............ .

B. Signora Rossi, Le ho inviato via e-mail il contratto d'affitto, ... può mandare firmato entro domani?

C. - Sei già andata dal notaio per la firma dell'atto di proprietà? - No, ... vado domani.

D. Non ho ancora scelto il quartiere dove andare a vivere, ... ho visitati tanti ma sono ancora indeciso.

E. Sono contenta di affittare la casa a te e a tua sorella, ... mando a breve tutte le informazioni.

COMPRENSIONE DELL'ASCOLTO

8 🎧 **(21)** **Ascolta i testi. Poi completa le frasi: scegli una delle tre proposte di completamento.**

1. La signora vuole un appartamento

A. ⚪ già arredato.

B. ⚪ con quattro camere.

C. ⚪ con il parcheggio.

2. Giorgio ha affittato una casa

A. ⚪ al mare.

B. ⚪ in città.

C. ⚪ con giardino.

3. La signora

A. ⚪ deve compilare un modulo.

B. ⚪ ha perso il bagaglio.

C. ⚪ deve andare in ufficio.

4. Il signor Tencheni

A. ⚪ ha problemi al ginocchio.

B. ⚪ ha provato a sistemare l'ascensore.

C. ⚪ fa sempre le scale.

5. L'annuncio

A. ⚪ dice che la linea è stata sospesa per un guasto.

B. ⚪ dice che la linea è interrotta tra Re di Roma e il capolinea.

C. ⚪ dice che tutti i treni hanno ripreso a funzionare.

6. L'azienda Traslocador

A. ⚪ effettua sgomberi gratuiti.

B. ⚪ effettua traslochi solo nei giorni feriali.

C. ⚪ lavora anche nei festivi.

7. A Milano

A. ⚪ la richiesta di affitti è in crescita.

B. ⚪ i prezzi dell'affitto restano fermi.

C. ⚪ in media un bilocale costa oltre 1.400 euro.

8. Le liti condominiali

A. ⚪ sono dovute soprattutto ai cattivi odori.

B. ⚪ si risolvono spesso tra vicini di casa.

C. ⚪ non riguardano cani e gatti.

9 **(22)** Ascolta il testo che parla della parte del Codice Civile che regolamenta i contratti di affitto, poi leggi le affermazioni seguenti. Non tutte sono presenti nel testo. Indica se l'affermazione è presente (SÌ) o se NON è presente (NO).
Le affermazioni ripetono le stesse parole del testo.

A. può essere convenuta   sì   NO

B. non fornisce la casa   sì   NO

C. miglioramento dovuto all'abuso   sì   NO

D. dipendenti dal logoramento   sì   NO

E. scarico del locale   sì   NO

F. casa occupata da più inquilini   sì   NO

G. si detrae dalla somma goduta   sì   NO

H. si trova che l'impegno   sì   NO

I. possono credere al contratto   sì   NO

L. si esercita mediante disdetta   sì   NO

M. sono dentro tre mesi   sì   NO

N. con preavviso non inferiore   sì   NO

10 **(23)** Ascolta il testo poi leggi le affermazioni seguenti. Non tutte sono presenti nel testo. Indica se l'affermazione è presente (SÌ) o se NON è presente (NO). Le affermazioni riportano il contenuto del testo senza ripetere necessariamente le stesse parole.

A. Frida è una casa adatta per chi ama la natura.   sì   NO

B. Le micro case possono essere smontate e spostate.   sì   NO

C. In salotto arriva molto sole.   sì   NO

D. Frida è stata realizzata da un architetto statunitense.   sì   NO

E. La piccola azienda produce 30 case all'anno.   sì   NO

F. I materiali di costruzione sono legno e metallo.   sì   NO

G. Le micro case sono dotate di una piscina aperta.   sì   NO

H. Una trasmissione televisiva ha fatto conoscere le micro case in tutto il mondo.   sì   NO

PRODUZIONE ORALE

11   Guarda le foto e ascolta l'audio.

Come descrivere un'immagine

■ Per descrivere la presenza di qualcosa o qualcuno in un'immagine, possiamo usare **c'è** o **ci sono**. Usiamo *c'è* al singolare e *ci sono* al plurale ▶ **ES.** *Nella prima foto* **c'è** *una famiglia.* | *Nella foto* **ci sono** *quattro persone.*

In alternativa possiamo usare espressioni impersonali, come **si vede** ▶ **ES.** *Nella seconda foto* **si vede** *una situazione molto diversa.*

■ Per descrivere persone e oggetti nello spazio possiamo usare espressioni come **davanti a**, **il primo a sinistra** ▶ **ES.** *Una famiglia su un prato* **davanti a** *una casa.* | **Il primo a sinistra**, *probabilmente il papà, sta accarezzando il cane.*

Possiamo usare anche altre espressioni come **dietro a**, **in primo piano**, **l'ultimo a destra/sinistra**, **sullo sfondo**.

■ Per descrivere le azioni che le persone compiono nella foto possiamo usare **stare + gerundio** ▶ **ES.** *Il primo a sinistra, probabilmente il papà,* **sta accarezzando** *il cane mentre il bambino* **sta abbracciando** *i genitori.*

■ Se vogliamo esprimere un'opinione sulla fotografia con buone ragioni ma senza certezza, possiamo usare **probabilmente** o **forse** ▶ **ES.** **Probabilmente** *queste persone sono benestanti.*

12 **Leggi la tabella e utilizza le strutture illustrate per descrivere un'immagine.**

FUNZIONE	ESEMPIO	
Indicare la presenza di qualcosa o qualcuno nell'immagine	*Nella prima foto **c'è** una famiglia.* *Nella foto **ci sono** quattro persone.* *Nella seconda foto **si vede** una situazione molto diversa.*	C'è anche... Ci sono... Si vede...
Descrivere persone e oggetti nello spazio	*Una famiglia su un prato **davanti a** una casa.* ***Il primo a sinistra**, probabilmente il papà, sta accarezzando il cane.*	Davanti a... Il primo a sinistra... Dietro... Di fianco... In primo piano... Sullo sfondo...
Descrivere le azioni che le persone compiono nella foto	*Il primo a sinistra, probabilmente il papà, **sta accarezzando** il cane, mentre il bambino **sta abbracciando** i genitori.*	Sta... Stanno...
Esprimere un'opinione sulla fotografia con buone ragioni ma senza certezza	***Probabilmente** queste persone sono benestanti.*	Probabilmente... Forse...

13 **Ora prova tu: descrivi e commenta queste due immagini. Se sei da solo, puoi registrare la tua voce sullo smartphone e riascoltarti per esercitarti.**

Viaggi e tempo libero

COMPRENSIONE DELLA LETTURA

1 Leggi il testo e rispondi alla domanda.

TOUR IN BARCA ALL'ISOLA DEL GIGLIO

L'escursione ti permetterà di trascorrere una splendida giornata in uno dei luoghi più belli del Mediterraneo, nuotando, facendo shopping e gustando un ottimo pranzo a bordo. Il tour prevede una sosta presso l'isola del Giglio, dove potrai visitare i negozi di artigianato o fare passeggiate in mezzo alla natura. Inoltre, disporrai di un servizio bar e ristorante a bordo. I tour partono ogni mattina dal porto di Livorno.

Se lo desideri, puoi partecipare a un'immersione subacquea facoltativa (pagando un supplemento). Tutta l'attrezzatura è inclusa nel supplemento.

Prezzo: 60 euro esclusi i supplementi.

Cosa è incluso: assicurazione per i partecipanti, commento audio a bordo, piatto di pasta.

Il tour

A. ⬤ prevede un pranzo in barca.

B. ⬤ offre un'immersione compresa nel prezzo.

C. ⬤ parte dall'isola del Giglio.

2 Leggi il testo, poi leggi le affermazioni seguenti. Non tutte sono presenti nel testo. Indica se l'affermazione è presente (SÌ) o se NON è presente (NO).

Il passaporto italiano

Il passaporto è rilasciato ai cittadini italiani e per i maggiorenni ha durata decennale. Alla scadenza della validità, riportata all'interno del documento, non si rinnova ma si deve richiedere l'emissione di un nuovo passaporto.

L'iscrizione del minore sul passaporto del genitore non è più valida dal 27/06/2012. Infatti, da questa data, il minore può viaggiare in Europa e all'estero solo con un documento di viaggio individuale.

Come e dove presentare la domanda

Consulta il sito www.passaportonline.poliziadistato.it, il servizio della Polizia di Stato per richiedere online il passaporto e per prenotare ora, data e luogo per presentare la domanda, eliminando le lunghe attese negli uffici di Polizia.

Se le date disponibili online sono terminate e ci sono urgenze adeguatamente motivate (lavoro, salute e studio), potete rivolgervi direttamente alla vostra Questura o Commissariato. Dal 24 giugno 2014 è abolita la tassa annuale del passaporto ordinario da € 40,29.

Richiesta di passaporto all'estero

I cittadini italiani all'estero che devono richiedere il passaporto devono consultare il sito web del Ministero degli Affari Esteri.

Servizio Passaporti a domicilio

Dal 27 ottobre 2014 prende il via su scala nazionale il servizio Passaporti a domicilio: al cittadino che ne fa richiesta, grazie a una convenzione con Poste Italiane, il documento emesso verrà recapitato a domicilio con un costo di € 9,05 da pagare in contrassegno al momento della consegna, ovvero direttamente all'incaricato di Poste Italiane.

A. Il passaporto scade dopo 10 anni se hai più di 18 anni. sì NO

B. Non è possibile rinnovare il passaporto. sì NO

C. Il figlio minorenne deve avere il proprio passaporto. sì NO

D. Il passaporto dei minorenni deve essere firmato da entrambi i genitori. sì NO

E. È obbligatorio prenotare l'appuntamento online. sì NO

F. Se si prenota online si evitano le code. sì NO

G. In caso di necessità per motivi di studio ci si può rivolgere alla Questura. sì NO

H. Il passaporto è obbligatorio per chi viaggia fuori dall'UE. sì NO

I. Per richiedere il passaporto dall'estero bisogna recarsi al Ministero degli Affari Esteri. sì NO

L. È necessario pagare la tassa annuale di 40,29 €. sì NO

M. C'è la possibilità di farsi consegnare il passaporto a casa. sì NO

N. Per il passaporto a domicilio bisogna pagare 9,05 euro quando lo si richiede. sì NO

Il condizionale presente

■ Uso del **condizionale presente**

- Per comunicare un desiderio ▶ **ES.** **_Vorrei_** _girare il mondo._

- Per chiedere qualcosa in modo gentile ▶ **ES.** **_Mi daresti_** _il numero di cellulare di Laura per piacere?_

- Per dare un consiglio ▶ **ES.** _Al tuo posto_ **_farei_** _più attività fisica._

- Per fare un'ipotesi, esprimere una possibilità o un dubbio ▶ **ES.** _Il prezzo non_ **_dovrebbe_** _superare i 70 euro._

	LAVORARE	PRENDERE	PARTIRE
io	lavorerei	prenderei	partirei
tu	lavoreresti	prenderesti	partiresti
lui/lei	lavorerebbe	prenderebbe	partirebbe
noi	lavoreremmo	prenderemmo	partiremmo
voi	lavorereste	prendereste	partireste
loro	lavorerebbero	prenderebbero	partirebbero

■ **Particolarità** di alcuni verbi

Alcuni verbi al condizionale perdono la vocale della desinenza ▶ **ES.** _andare → andrei_ | _avere → avrei_

Altri verbi di questo tipo sono: _sapere, potere, vedere, vivere, dovere, cadere._

■ **Verbi irregolari**

	FARE	DARE	DIRE	BERE
io	farei	darei	direi	berrei
tu	faresti	daresti	diresti	berresti
lui/lei	farebbe	darebbe	direbbe	berrebbe
noi	faremmo	daremmo	diremmo	berremmo
voi	fareste	dareste	direste	berreste
loro	farebbero	darebbero	direbbero	berrebbero

	STARE	TENERE	VENIRE	ESSERE	VOLERE
io	starei	terrei	verrei	sarei	vorrei
tu	staresti	terresti	verresti	saresti	vorresti
lui/lei	starebbe	terrebbe	verrebbe	sarebbe	vorrebbe
noi	staremmo	terremmo	verremmo	saremmo	vorremmo
voi	stareste	terreste	verreste	sareste	vorreste
loro	starebbero	terrebbero	verrebbero	sarebbero	vorrebbero

3 ▶ **Completa le frasi usando il verbo al condizionale.**

A. I miei genitori (*andare*) .... volentieri al compleanno di Francesca, ma lavorano fino a tardi.

B. Scusate ragazzi, c'è troppa confusione, (*potere*) .... abbassare la voce per piacere?

C. Se non vi dà fastidio, io e Raffaella (*accendere*) .... l'aria condizionata.

D. Lucia (*lavorare*) .... volentieri in una banca.

E. Al tuo posto, io (*mangiare*) .... meno dolci, secondo me ti fanno male.

F. Forse (*essere*) .... meglio portare l'ombrello, sta per piovere!

G. Il treno (*dovere*) .... arrivare alle 17.03, ma (*potere*) .... ritardare di qualche minuto.

H. Tu (*mettere*) .... questo maglione viola?

4 ▶ **Perché si usa il condizionale in queste frasi? Indica con un numero la funzione:**
1. desiderio, 2. richiesta gentile, 3. consiglio, 4. ipotesi, dubbio o incertezza.

A. Marco dovrebbe essere a casa a quest'ora. ☐

B. Potresti passarmi il sale? ☐

C. Avrei voglia di lasciare tutto e andare lontano! ☐

D. Dovresti chiedere scusa a tua sorella. ☐

E. Mi accompagneresti in centro domani? ☐

F. I miei amici dovrebbero arrivare a momenti. ☐

G. Sarebbe bello uscire tutti insieme domani sera. ☐

H. Signora Rossi, dovrebbe pensare alla salute. Smetta di fumare. ☐

Che cosa diresti in queste situazioni? Scrivi le frasi usando il condizionale.

A. Esprimi il desiderio di visitare Parigi.

....

B. Consiglia al tuo amico di mangiare meno cibo spazzatura.

....

C. Chiedi al tuo professore di venire al tuo banco.

....

D. Sei a cena con i colleghi, hai sete e la bottiglia dell'acqua è lontano da te.

....

 Completa il testo. Scegli la parola corretta tra quelle proposte.

Testimonianza degli studenti: Caterina racconta della sua vacanza studio a Liverpool

Liverpool è una città molto interessante e offre davvero tantissime opportunità: penso che ci [1] ! È molto stimolante [2] dal punto di vista culturale, con molte mostre e musei gratuiti. Inoltre offre tante alternative per gli studenti che si vogliono anche divertire: pub, centri commerciali e un'ottima rete di [3] pubblici sia interna che esterna.

[4] ero a Liverpool, ho frequentato un corso di lingua inglese molto valido, lo staff [5] scuola era sempre pronto ad aiutarti, i [6] insegnanti erano molto competenti e amichevoli, e le lezioni sempre diversificate ma principalmente basate sul dialogo, sul lavoro di gruppo o in coppia. Ho avuto così modo di conoscere tanti ragazzi mentre approfondivo lo studio della lingua.

La famiglia che [7] ospitava è stata molto affettuosa e io mi sono sentita come a casa: [8] mantenere i [9] con loro anche adesso che sono tornata in Italia. Stare in famiglia è fondamentale in questo tipo di vacanze studio perché ti permette di conoscere la quotidianità del Paese che ti ospita e di interagire tutti i giorni con le persone che [10] vivono.

1.   A. ◯ vivevo   B. ◯ vivo   C. ◯ vivrei

2.   A. ◯ soprattutto   B. ◯ altrimenti   C. ◯ invece

3.   A. ◯ ristoranti   B. ◯ trasporti   C. ◯ mezzo

4.   A. ◯ Mentre   B. ◯ Dopo   C. ◯ Intanto

5.   A. ◯ alla   B. ◯ dalla   C. ◯ della

6.   A. ◯ mio   B. ◯ miei   C. ◯ vostri

7.   A. ◯ mi   B. ◯ lo   C. ◯ me

8.   A. ◯ verrei   B. ◯ vorrai   C. ◯ vorrei

9.   A. ◯ amicizia   B. ◯ rapporti   C. ◯ supporti

10.   A. ◯ ne   B. ◯ ci   C. ◯ lo

7 ▶ **Completa i messaggi con la parola opportuna.**

A. Ho visto delle foto del lago di Tovel, è bellissimo, _____ passerei volentieri le vacanze.

B. Domani partiamo per Roma alle 6.30, passo a prender_____ io, ma cercate di essere puntuali!

C. Giorgio e Luca non sono mai stati in India ma _____ piacerebbe molto andarci.

D. Se non hai gli sci per la montagna _____ posso prestare io.

E. - Quante capitali europee hai visitato? - Io _____ ho visitate 5.

COMPRENSIONE DELL'ASCOLTO

8 🎧 ⁽²⁵⁾ **Ascolta i testi. Poi completa le frasi: scegli una delle tre proposte di completamento.**

1. L'impiegato dell'ufficio turistico consiglia di acquistare

   A. ⚪ una tessera turistica per monumenti e trasporti pubblici.

   B. ⚪ una tessera giornaliera per metropolitana e autobus.

   C. ⚪ una tessera settimanale che dà diritto a sconti sui taxi.

2. Il signor Vallazzi

   A. ⚪ vuole prolungare il noleggio di tre giorni.

   B. ⚪ ha pagato il noleggio in anticipo.

   C. ⚪ ha la patente scaduta.

3. I due amici decidono

   A. ⚪ di andare al cinema sabato sera con alcuni amici.

   B. ⚪ di incontrarsi a casa di Giulia per andare al cinema.

   C. ⚪ di vedersi domenica mattina.

4. NonSoloFood

   A. ⚪ è aperto solo ai cuochi professionisti.

   B. ⚪ si tiene a Torino per tutta la settimana.

   C. ⚪ offre cucina di alto livello a prezzi bassi.

5. L'aeroporto di Milano Linate

   A. ⚪ sarà chiuso nel periodo estivo.

   B. ⚪ sarà sostituito per un breve periodo da un altro.

   C. ⚪ chiude definitivamente.

6. Il safari

   A. ⚪ non prevede il pernottamento in un albergo.

   B. ⚪ comprende sempre un giro sui cammelli.

   C. ⚪ inizia il 5 ottobre.

7. La partita della nazionale femminile

   A. ⚪ è finita con una vittoria per l'Italia.

   B. ⚪ è stata giocata in Brasile.

   C. ⚪ è stata vista da 6,5 milioni di persone.

8. Il servizio CicloMilano

   A. ⚪ offre visite guidate della città.

   B. ⚪ è disponibile solo per chi ha la propria bicicletta.

   C. ⚪ accompagna i turisti nei luoghi più famosi di Milano.

9 🎧⁽²⁶⁾ Ascolta il testo che parla della regolamentazione delle spiagge italiane e poi leggi le affermazioni seguenti. Non tutte sono presenti nel testo. Indica se l'affermazione è presente (SÌ) o se NON è presente (NO).
Le affermazioni ripetono le stesse parole del testo.

A. della mano marina   sì NO

B. inclusa la valigia   sì NO

C. le onde si infrangono   sì NO

D. estensione della battigia   sì NO

E. alla fine della stagione   sì NO

F. l'obbligo di consentire   sì NO

G. la messa in posizione   sì NO

H. raggiungimento dell'acqua   sì NO

I. con accessi privati   sì NO

L. delegate in aree generiche   sì NO

M. un'adeguata proporzione   sì NO

10 🎧⁽²⁷⁾ Ascolta il testo poi leggi le affermazioni seguenti. Non tutte sono presenti nel testo. Indica se l'affermazione è presente (SÌ) o se NON è presente (NO). Le affermazioni riportano il contenuto del testo senza ripetere necessariamente le stesse parole.

A. Il giornalista intervista il vincitore di un concorso.   sì NO

B. Virgilio è un fotografo professionista.   sì NO

C. Virgilio ha frequentato un corso comunale.   sì NO

D. Virgilio ha iniziato a fotografare in Marocco.   sì NO

E. L'idea della foto è venuta a Virgilio sfogliando un libro di fotografia.   sì NO

F. Virgilio ha scattato la foto con una macchina fotografica professionale.   sì NO

G. La fotografia ritrae l'occhio di Virgilio.   sì NO

H. Virgilio ha utilizzato una torcia per illuminare il suo viso.   sì NO

11 Ascolta l'intervista a Beatriz, una ragazza brasiliana che parla del suo tempo libero.

Come esprimere gradimento e preferenza

■ Ecco alcune espressioni che possiamo usare per esprimere gradimento e/o preferenza.

- **La cosa che mi piace di più è...**: è un'espressione che indica l'attività più gradita fra molte ▶ **ES.** *La cosa che mi piace di più è uscire con gli amici.*

- **Volentieri**: è un avverbio che esprime una cosa che si fa con piacere ▶ **ES.** *Faccio entrambe le cose* **volentieri***.*

- **È una mia grande passione**: il termine *passione*, in questo caso, significa un forte interesse per qualcosa ▶ **ES.** *La lettura* **è una mia grande passione***.*

- **Dedicare tempo a** (fare qualcosa): significa fare una cosa frequentemente ▶ **ES.** ***Dedico molto tempo** ai libri.*

- **Preferire**: si usa per indicare la cosa o la persona che piace di più tra due o più alternative ▶ **ES.** *Leggo un po' di tutto, ma* **preferisco** *i romanzi storici.*

- **Adorare**: ha lo stesso significato di *piacere*, ma con maggiore intensità ▶ **ES.** ***Adoro** le piccole librerie dove posso chiedere consigli ai proprietari.*

■ Quando parliamo di tempo libero sono molto utili anche gli avverbi di frequenza o altre espressioni, come *di solito*, *spesso*, *qualche volta*, *sempre più spesso*.

12 Leggi la tabella e utilizza le strutture illustrate per rispondere all'intervista.

FUNZIONE	ESEMPIO	
Indicare l'attività più gradita fra molte	***La cosa che mi piace di più è*** *uscire con gli amici.*	*La cosa che mi piace di più è...*
Esprimere una cosa che si fa con piacere	*Faccio entrambe le cose* **volentieri***.*	*...volentieri*
Esprimere forte interesse per qualcosa	*La lettura* **è una mia grande passione***.*	*...è una mia grande passione*
Indicare una cosa che si fa frequentemente	***Dedico molto tempo*** *ai libri.*	*Dedico tempo a...*
Indicare la cosa che piace di più tra due o più alternative	*Leggo un po' di tutto, ma* **preferisco** *i romanzi storici.*	*Preferisco...*
Esprimere un forte gradimento per qualcosa	***Adoro*** *le piccole librerie.*	*Adoro...*

13 Ora chiudi il libro e racconta a un amico che cosa fai nel tempo libero.

Città e servizi

COMPRENSIONE DELLA LETTURA

1 **Leggi il testo e rispondi alla domanda.**

Questa mattina sono iniziate le celebrazioni per i 180 anni della prima linea ferroviaria costruita sul territorio italiano.

Il 3 ottobre del 1839 il re Ferdinando II di Borbone ha inaugurato il primo tratto ferroviario italiano. La ferrovia era lunga 7.411 metri e collegava Napoli a Portici in undici minuti.

Il treno era composto da otto vagoni trainati da due locomotive gemelle, la Bayard e la Vesuvio, progettate sul modello delle locomotive inglesi.

Anche i più celebri fumettisti e illustratori italiani hanno scelto oggi di omaggiare la ricorrenza con disegni raffiguranti l'inaugurazione della nascita della ferrovia in Italia.

Ai festeggiamenti ha partecipato anche il presidente della Repubblica.

La prima ferrovia italiana

A. ● è stata inaugurata dal presidente della Repubblica.

B. ● collegava Portici a Napoli in meno di un quarto d'ora.

C. ● aveva locomotive inglesi.

2 Leggi il testo, poi leggi le affermazioni seguenti. Non tutte sono presenti nel testo. Indica se l'affermazione è presente (SÌ) o se NON è presente (NO).

L'abbonamento ai mezzi pubblici

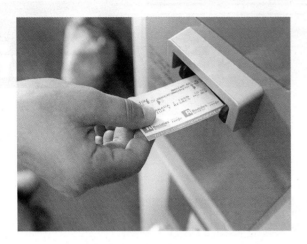

La tessera elettronica è il supporto su cui si carica l'abbonamento ai mezzi pubblici.

Puoi richiedere la tessera elettronica online, presso uno dei nostri sportelli InfoPoint, oppure in una delle rivendite (tabacchi, cartolerie, edicole). È necessario portare una foto formato tessera, un documento d'identità valido e il codice fiscale.

La tessera si ritira nello sportello Info-Point o nella rivendita in cui si è presentata la domanda: presso gli sportelli, la tessera ti verrà rilasciata immediatamente, mentre presso le rivendite potrai ritirare la tessera dopo 15-20 giorni circa dalla richiesta.

La tessera ha 5 anni di validità e ha un costo di emissione di 12 €.

La tessera va conservata con cura e deve essere perfettamente integra; non si può piegare o forare né avvicinare a fonti elettromagnetiche.

Ti ricordiamo che la tessera elettronica è strettamente personale e non cedibile, e che va mostrata ogni volta che il personale di controllo lo richiede.

Chi viaggia sprovvisto di tessera o con la tessera scaduta o non valida è soggetto alle sanzioni previste dalla legge.

Al momento del rilascio la tessera è "scarica": deve essere caricata con un abbonamento che puoi acquistare online, presso gli InfoPoint, o nei distributori automatici.

Quando ricarichi l'abbonamento sulla tua tessera, ti viene rilasciata una ricevuta che devi conservare e portare sempre con te per poterla mostrare in caso di controllo.

La tessera va sempre convalidata avvicinandola al lettore magnetico-elettronico che si trova a bordo dei mezzi di superficie e all'ingresso della metropolitana. In alcune stazioni della metropolitana è necessario convalidare anche in uscita.

Se perdi la tessera, puoi richiedere il duplicato in uno degli InfoPoint, portando con te un documento di riconoscimento. In caso di furto invece, occorre anche presentare la denuncia.

In entrambi i casi, l'operazione di rilascio del duplicato ha un costo di 15 €.

A. La richiesta della tessera può essere effettuata in diversi luoghi.   sì NO

B. Presso gli InfoPoint si può ritirare subito la tessera.   sì NO

C. La tessera ha scadenza annuale.   sì NO

D. La tessera non può essere utilizzata da tutta la famiglia.   sì NO

E. I disoccupati hanno diritto a uno sconto sugli abbonamenti.   sì NO

F. Chi viaggia senza tessera può prendere una multa.   sì NO

G. L'abbonamento costa 12 euro.   sì NO

H. I controllori possono chiedere al viaggiatore anche la ricevuta.   sì NO

I. La tessera va sempre convalidata in uscita.   sì NO

L. Se la tessera viene rubata è necessario presentare la denuncia.   sì NO

M. Se perdi la tessera puoi avere un duplicato senza costi aggiuntivi.   sì NO

N. Sulla tessera puoi caricare anche l'abbonamento delle BiciCittà.   sì NO

GRAMMATICA

I pronomi relativi

■ I pronomi relativi uniscono due frasi e sostituiscono il soggetto o l'oggetto nella seconda frase. I pronomi relativi sono:

- **che**: si usa per sostituire il soggetto o l'oggetto della frase ed è invariabile (non cambia genere né numero) ▶ **ES.** *La ragazza **che** sta parlando con tua sorella è una mia cara amica.* | *Il dottor Bianchi è il medico **che** mi ha operato.*

- **cui**: si usa per sostituire l'oggetto di una frase, quando è preceduto da una preposizione ▶ **ES.** *Trovi le informazioni **di cui** hai bisogno sul sito internet del Comune.* | *Francesco è una persona **su cui** si può contare.* | *La cucina è la stanza **in cui** trascorro più tempo.*
  Al posto di *cui* si può usare *quale/quali* preceduti da preposizione articolata ▶ **ES.** *Trovi le informazioni **delle quali** hai bisogno sul sito del Comune.* | *Francesco è una persona **sulla quale** si può contare.* | *La cucina è la stanza **nella quale** trascorro più tempo.*

- **chi**: si usa per sostituire un soggetto singolare o plurale. *Chi* è invariabile e significa *la persona che/le persone che* ▶ **ES. Chi** *vuole abbonarsi ai mezzi di trasporto deve andare all'InfoPoint.* | *So **chi** ha finito tutti i biscotti!*

3 Sostituisci *cui* con *quale/quali* (con articolo e preposizione).

A. Ieri ho venduto l'auto con cui *con la quale* ho viaggiato per tutta l'Europa.

B. Ecco i libri di cui .... ti ho parlato, puoi tenerli.

C. Tiziana è l'amica da cui .... accetto qualsiasi consiglio.

D. Ieri ho telefonato al dott. Bianchi, il commercialista a cui .... ho affidato tutte le pratiche.

E. L'ufficio in cui .... lavoro è molto luminoso.

F. Questi sono gli abiti tra cui .... devo scegliere per l'incontro di domani.

4 Scegli il pronome relativo corretto.

A. Secondo l'Istituto di Ricerca, gli italiani *che / a cui* non sono soddisfatti del loro lavoro sono il 34%.

B. L'amica *che / con cui* mi diverto di più è Virginia.

C. La ragione *che / per cui* ti ho telefonato è che volevo scusarmi con te.

D. Ti ricordi di Lisa? È la ragazza *che / di cui* ti ho parlato ieri.

E. Sono felicissima: stasera andiamo nel ristorante *che / in cui* mi piace tanto!

F. Sono appena tornata da Berlino, una città *che / a cui* amo molto.

5 Scegli il pronome relativo corretto.

A. Ancora non ho conosciuto la ragazza *che* / *chi* sposerà Giorgio.

B. Non mi piace *che* / *chi* è maleducato con gli stranieri.

C. *Che* / *Chi* vuole la cittadinanza italiana deve superare un esame di lingua.

D. A volte *che* / *chi* ruba lo fa per disperazione.

E. I ragazzi *che* / *chi* hai appena conosciuto sono i figli di mia cugina.

F. Il professor Gallucci è una persona *che* / *chi* capisce i problemi degli studenti.

6 Inserisci il pronome relativo corretto: scegli tra *che, chi, cui*.

A. .... ha finito l'esercizio può andare a casa.

B. Raffaella è la mia collega .... si occupa dell'amministrazione.

C. Manuela ed Eleonora sono delle persone a .... voglio molto bene.

D. Le Orobie sono le montagne .... conosco meglio.

E. Non sopporto .... butta i rifiuti per terra.

F. Giacomo ha un lavoro per .... deve viaggiare molto.

7 Scegli il pronome relativo corretto.

su cui ▪ che ▪ in cui ▪ chi ▪ a cui ▪ con cui ▪ chi ▪ che

A. Chiara e Tiziana amano viaggiare e sono le amiche .... viaggio più volentieri.

B. Non ho intenzione di discutere con .... invece di parlare alza la voce!

C. La ragazza .... ho salutato ieri è una mia collega, ma anche una cara amica.

D. Non sopporto .... è maleducato e non saluta quando ti incontra.

E. Federica è la persona .... dico tutto di me.

F. La signora .... indossa sempre camicie a fiori è la dottoressa Malanima.

G. Stai attenta! La sedia .... sei seduta ha una gamba rotta.

H. L'albergo di Rimini .... vado sempre è molto pulito ed economico.

8 Completa il testo. Scegli la parola corretta tra quelle proposte.

Milano, via Padova: «La rinascita della strada parte nei negozi»

Sono molti ormai i milanesi [1] conoscono via Padova come una via poco raccomandabile, [2] la sera. Ma questa zona della città, che parte da piazzale Loreto e si estende verso nord, negli ultimi anni si sta riqualificando anche grazie ai [3] esercizi commerciali [4] operano in questa via, molti dei quali gestiti da stranieri.

L'Associazione commercianti di via Padova, [5] , si propone di riqualificare il [6] , diffondendo il rispetto delle regole e superando i pregiudizi. Il primo obiettivo raggiunto dall'Associazione è stato far tornare le luminarie natalizie, [7] sono molto legati adulti e bambini.

Alle iniziative partecipano [8] anche i commercianti extracomunitari, [9] negli anni fanno sempre più parte del quartiere, parlano italiano e si interessano a quello che accade nella via. In primavera è in programma la festa della via con momenti di incontro tra famiglie e commercianti.

Insomma, [10] dice che via Padova è un posto poco sicuro, dovrà presto ricredersi: via Padova è sempre più la via del futuro, multietnica, colorata, meta per i milanesi e non solo.

1. A. chi   B. che   C. cui
2. A. finalmente B. altrimenti   C. soprattutto
3. A. numerosi   B. tanto   C. stranieri
4. A. che   B. cui   C. in cui
5. A. anche   B. infatti   C. perché
6. A. zona   B. quartiere   C. traffico
7. A. a cui   B. che   C. chi
8. A. attivamente B. velocemente C. piuttosto
9. A. che   B. chi   C. cui
10. A. chi   B. che   C. alcuno

9 **Completa i messaggi con la parola opportuna.**

A. Ecco il modulo, ... deve firmare e restituire entro questa settimana in questo stesso ufficio.

B. .... devo dare una brutta notizia! Domani dovrete venire a piedi perché c'è lo sciopero dei mezzi.

C. Se ha smarrito la tessera dell'abbonamento, deve provare a richieder........... un'altra presso l'InfoPoint.

D. Ho bisogno del suo documento. Può dar........... per favore?

E. – Oggi c'è lo sciopero dei mezzi, come vado al lavoro? – Perché non .... vai in bici?

F. Abbiamo presentato alcuni progetti all'università. Spero che .... accetteranno almeno uno.

G. Daniela dice di aver già fatto i compiti, ma io non .... credo!

H. Signora Rossi, non dimentichi di compilare la scheda anagrafica e di firmar......... entro il 12 settembre.

I. Se non avete abbastanza soldi per il biglietto, ... posso prestare io.

L. È tanto che non senti i nonni, perché non .... telefoni?

COMPRENSIONE DELL'ASCOLTO

10 🎧 (29) **Ascolta i testi. Poi completa le frasi: scegli una delle tre proposte di completamento.**

1. La signora compra

A. ⚪ frutta esotica.

B. ⚪ la frutta più cara.

C. ⚪ frutta locale.

2. Maribel chiede

A. ⚪ informazioni su come pagare la multa.

B. ⚪ un prestito per poter pagare la multa.

C. ⚪ se può pagare la multa su internet.

3. Luca

A. ⚪ ha perso l'ultimo libro di Niccolò Ammaniti.

B. ⚪ vuole comprare un libro del suo scrittore preferito.

C. ⚪ vuole prendere un libro in prestito.

4. Il servizio di trasporto pacchi

A. ⚪ costa 9 euro se il pacco supera gli 8 chili.

B. ⚪ ha tempi di consegna più lunghi per alcune destinazioni.

C. ⚪ è disponibile anche nei giorni festivi.

5. L'offerta

A. ⚪ sconta del 30% il primo biglietto acquistato.

B. ⚪ è valida per tutti i treni che viaggiano in Italia.

C. ⚪ è dedicata alle coppie.

6. Lo spot

A. ⚪ invita a visitare il patrimonio artistico italiano.

B. ⚪ è promosso dal Ministero delle Infrastrutture.

C. ⚪ consiglia di mangiare prodotti di qualità.

7. L'abbonamento

A. ⚪ sarà scontato per gli studenti universitari.

B. ⚪ costerà circa cento euro.

C. ⚪ è riservato a un numero ridotto di studenti.

8. La carta di credito CartaRicarica

A. ⚪ può contenere qualsiasi somma di denaro.

B. ⚪ ha validità illimitata.

C. ⚪ è sicura per gli acquisti su internet.

11 🎧 (30) Ascolta il testo che parla delle regole del trasporto pubblico dei passeggeri e poi leggi le affermazioni seguenti. Non tutte sono presenti nel testo. Indica se l'affermazione è presente (SÌ) o se NON è presente (NO).
Le affermazioni ripetono le stesse parole del testo.

A. inutile fermata a richiesta — sì **NO**

B. indicata da segni etici — sì **NO**

C. vettura è in movimento — sì **NO**

D. occupare più di un posto — sì **NO**

E. macchine etichettatrici — sì **NO**

F. gettare oggetti fuori — sì **NO**

G. non è consentito rubare — sì **NO**

H. evitare disagi e disturbi — sì **NO**

I. sono tenuti ad adottare — sì **NO**

L. centro informazioni — sì **NO**

M. positivi nelle emergenze — sì **NO**

N. escluse le piccole quantità — sì **NO**

12 🎧 (31) Ascolta il testo poi leggi le affermazioni seguenti. Non tutte sono presenti nel testo. Indica se l'affermazione è presente (SÌ) o se NON è presente (NO). Le affermazioni riportano il contenuto del testo senza ripetere necessariamente le stesse parole.

A. La notizia riguarda l'assunzione di nuovi lavoratori alle Poste. — sì **NO**

B. Il magazzino si trova fuori città. — sì **NO**

C. All'inaugurazione non hanno partecipato i lavoratori delle Poste. — sì **NO**

D. Il Presidente ha detto che la tecnologia non è nemica del lavoro. — sì **NO**

E. Prima del 2018 le Poste non consegnavano di pomeriggio. — sì **NO**

F. Le Poste sono una delle aziende più antiche d'Italia. — sì **NO**

G. È possibile fare acquisti online sul sito delle Poste. — sì **NO**

H. I corrieri delle poste consegnano anche nei fine settimana. — sì **NO**

PRODUZIONE ORALE

13   Ascolta Karim che parla della sua città.

Come esprimere contraddizione

■ Una contraddizione è una opposizione tra due affermazioni, due giudizi, due fatti, che sono in contrasto tra loro. In italiano si può esprimere usando:

- **ma** ▶ **ES.** *È una città veramente caotica,* **ma** *forse mi piace proprio per questo.*

- **anche se** ▶ **ES.** *Marrakech si sta aprendo sempre di più al turismo,* **anche se** *mantiene un'atmosfera molto tradizionale.*

- **però** ▶ **ES.** *Sono felice che la mia città accolga tanti turisti,* **però** *a volte sono davvero troppi.*

- **eppure** ▶ **ES.** *È una città con molti difetti,* **eppure** *adesso che sono lontano mi manca moltissimo.*

---

14 Leggi la tabella e utilizza le strutture illustrate per descrivere la tua città e mettere in evidenza alcune contraddizioni che la caratterizzano.

FUNZIONE	ESEMPIO	
Descrivere un luogo	**C'è** una grande confusione, tantissimi venditori. **C'è** una piazza molto grande e famosa. Lì **ci sono** gli incantatori di serpenti.	Nella mia città c'è… ci sono…
Esprimere contraddizione	È una città veramente caotica, **ma** forse mi piace proprio per questo. Marrakech si sta aprendo sempre di più al turismo, **anche se** mantiene un'atmosfera molto tradizionale. Sono felice che la mia città accolga tanti turisti, **però** a volte sono davvero troppi. È una città con molti difetti, **eppure** adesso che sono lontano mi manca moltissimo.	La mia città è… ma… La mia città… anche se…

15 Ora chiudi il libro, parla con un amico e descrivigli la tua città e le sue contraddizioni. Se sei da solo, puoi registrare la tua voce sullo smartphone e riascoltarti per esercitarti.

L'Italia e le sue leggi

COMPRENSIONE DELLA LETTURA

1 **Leggi il testo e rispondi alla domanda.**

L'Italia, Paese dell'Europa meridionale con una lunga costa sul Mediterraneo, è una Repubblica parlamentare con una popolazione di circa 61 milioni di abitanti. La sua capitale è Roma.

La penisola italiana è divisa in venti regioni, molte delle quali si affacciano sul mare, tra cui due isole, la Sicilia e la Sardegna. Le regioni sono a loro volta suddivise in province e comuni.

Il territorio italiano è composto per il 35% da zone montuose, per il 23% da pianure e per il 42% da zone collinari. La lingua ufficiale parlata è l'italiano ma in alcune parti di Italia si parlano anche altre lingue come il francese, il tedesco, lo sloveno, l'albanese e il greco. Numerosi sono inoltre i dialetti, diversi per ogni regione o addirittura provincia. All'interno del Paese ci sono due stati autonomi: la Repubblica di San Marino e la Città del Vaticano, il più piccolo Stato del mondo.

L'Italia

A. ⚪ si trova nell'Europa del Sud.

B. ⚪ ha 20 regioni che si affacciano sul mare.

C. ⚪ è prevalentemente pianeggiante.

2 **Leggi il testo, poi leggi le affermazioni seguenti. Non tutte sono presenti nel testo. Indica se l'affermazione è presente (SÌ) o se NON è presente (NO).**

La divisione dei poteri nello Stato italiano

Una delle caratteristiche di uno Stato democratico è quella di avere al suo vertice una pluralità di organi, ognuno con funzioni diverse e che si controllano a vicenda. In Italia ci sono tre diversi poteri: il potere legislativo, quello esecutivo e quello giudiziario.

L'Italia è una Repubblica parlamentare perché i cittadini eleggono direttamente il Parlamento, a cui spetta il compito di fare le leggi. Il parlamento possiede quindi il potere legislativo. Il Parlamento è diviso in due Camere: la Camera dei Deputati e il Senato della Repubblica. Per eleggere i rappresentanti della Camera è sufficiente avere la maggiore età, per eleggere invece i membri del Senato bisogna avere 25 anni.

Il Parlamento a sua volta sceglie il Governo, formato dai Ministri, che ha il potere esecutivo, cioè la facoltà di governare e applicare le leggi del Parlamento. Il capo del governo è il Presidente del Consiglio. Ogni Governo può avere una durata massima di cinque anni.

Il potere giudiziario, che consiste nel far rispettare le leggi e giudicare chi va contro la legge, è nelle mani della Magistratura (giudici e magistrati). La Magistratura è indipendente dagli altri organi dello Stato e prende le sue decisioni unicamente sulla base delle leggi italiane.

Il Presidente della Repubblica è eletto dal Parlamento ogni sette anni e garantisce il corretto funzionamento degli altri organi dello Stato. In questo, l'Italia si distingue da altri Stati democratici, come gli Stati Uniti o la Francia, che sono Repubbliche presidenziali, in cui anche il Presidente della Repubblica è eletto direttamente dal popolo e ha poteri molto più ampi del Presidente italiano.

A. Per eleggere i rappresentanti della Camera bisogna avere 18 anni.   sì NO

B. I cittadini scelgono i membri del Parlamento tramite le elezioni.   sì NO

C. In uno Stato democratico, il potere è concentrato nelle mani di un solo organo.   sì NO

D. Il Parlamento ha il potere giudiziario.   sì NO

E. Il Senato è una delle due Camere del Parlamento.   sì NO

F. Il potere giudiziario consiste nel fare le leggi.   sì NO

G. I giudici decidono le controversie tramite le sentenze.   sì NO

H. La Magistratura agisce in autonomia rispetto agli altri organi dello Stato.   sì NO

I. Il Presidente del Consiglio è eletto direttamente dai cittadini.   sì NO

L. Il Presidente della Repubblica può licenziare il Presidente del Consiglio.   sì NO

M. Il Presidente della Repubblica resta in carica per sette anni.   sì NO

N. Nelle Repubbliche presidenziali, i cittadini eleggono il Presidente della Repubblica.   sì NO

Gli indefiniti

■ Gli indefiniti possono essere aggettivi o pronomi e indicano cose o persone non specificate. Ecco alcuni dei più usati.

- **Qualche** indica una quantità ridotta ma indefinita di tempo, cose o persone. È sempre invariabile e si usa solo al singolare ▶ **ES.** *Qualche volta vado al cinema.* | *Ho comprato* **qualche** *mela.*

- **Ogni** ha lo stesso significato di *tutti/tutte*. È invariabile ▶ **ES.** *Ogni domenica vado al cinema.*

- **Qualcosa** è invariabile ▶ **ES.** *Vorrei* **qualcosa** *da mangiare.*

- **Qualcuno/a** si usa solo al singolare ▶ **ES.** *Qualcuno ha una penna da prestarmi?*

- **Niente/Nulla** sono invariabili e hanno lo stesso significato. Dopo il verbo vogliono la negazione ▶ **ES.** *Non c'è* **nulla** *da fare.*

- **Nessuno/a** si usa solo al singolare. Prima del nome segue le forme dell'articolo indeterminativo. Dopo il verbo vuole la negazione ▶ **ES.** *Non c'è* **nessun** *problema.* | *Non vedo arrivare* **nessuno**.

3 Scegli l'indefinito.

A. *Qualcuno* / *Qualcosa* / *Nessuno* potrebbe prestarmi l'ombrello? Sta piovendo molto forte!

B. Stamattina sono andata in stazione per avere informazioni sul mio abbonamento, ma non ho trovato *qualcosa* / *nessuno* / *niente* a cui chiedere.

C. Che fame! Ti va se mangiamo *nulla* / *qualche* / *qualcosa*?

D. Domani non ho *nulla* / *qualcosa* / *qualcuno* da fare, potremmo andare a fare una gita fuori città.

E. *Nessuna* / *Ogni* / *Qualcuna* domenica io e mio marito portiamo i bambini dai nonni.

F. Mi dispiace non so dove sia via Pascoli, provi a chiedere a *qualcosa* / *qualcuno* / *nessuno* in quel bar, forse la possono aiutare.

G. Ti va se *ogni* / *nessuna* / *qualche* volta andiamo al cinema Paradiso a vedere un film in lingua originale?

H. Ho appena scaricato la posta, ma non ho ricevuto *niente* / *nessuno* / *qualcosa*, prova a riscrivermi.

4 ▸ **Riordina le frasi.**

A. mio / nessuna / più / ha / albero / foglia / il / giardino / in / non

....

B. è / qualcosa / occhio / entrato / mi / nell'

....

C. sa / che / dirmi / qualcuno / sono? / ore

....

D. niente / mettermi / presti / qualcosa? / mi / non / da / ho

....

E. consiglio / di / darmi / qualche / il / colloquio / domani? / puoi / per

....

F. volta / che / ogni / sempre / bella / più / vedo / Giovanna / è

....

G. andata / trovare / Elena / a / ma / non / nessuno / a / sono / c'era / sua / casa

....

H. ti / non / successo / nulla / preoccupare / è / non

....

5 ▸ **Completa le frasi con gli indefiniti indicati.**

nessuno/a ▪ qualche ▪ niente ▪ nulla ▪ qualcuno/a ▪ qualcosa ▪ ogni ▪ qualcosa

A. Mario puoi venire? C'è .... che vuole parlare con te.

B. Sto andando al supermercato, se ti serve .... , dimmelo pure!

C. .... volta potremmo andare a mangiare in quel ristorante cinese che ci ha consigliato Xin.

D. Non ti preoccupare, ti accompagno io a casa, non mi costa ....

E. Domani a scuola distribuiranno un libro e un quaderno per .... studente.

F. Ho una cosa da dirti, ma è un segreto, non devi dirlo a ....

G. Melania è stata bocciata all'esame per la patente, aveva studiato ma .... è andato storto.

H. - Scusa se sono arrivata così in ritardo, ma ho avuto un imprevisto.
   - Figurati, non fa ....

Completa il testo. Scegli la parola corretta tra quelle proposte.

Yassine Rachik

Oggi l'Italia ha un atleta in più: Yassine Rachik, 23 anni, campione di atletica di origini marocchine, ma che vive in Italia da oltre dieci anni. Il Presidente della Repubblica italiana, infatti, ha firmato [1] giorno fa il decreto che conferisce la cittadinanza italiana per [2] speciali al giovane atleta.

Fino a pochi giorni fa, Rachik era uno dei più forti fondisti del nostro Paese, ma non [3] era consentito di rappresentarlo a livello internazionale, [4] a causa della burocrazia [5] rispondeva con estrema lentezza alla domanda di cittadinanza presentata da Yassine e che, nonostante ne avesse pieno diritto, continuava a negargli la [6] di vincere come italiano.

Yassine ha cercato a lungo di superare questi ostacoli, ma non c'è stato [7] da fare. Dopo tanto tempo, però, adesso [8] è cambiato: a sbloccare la situazione, portando il Capo dello Stato a interessarsi del suo caso, è stata una petizione in favore di Yassine. Il problema, superato da Yassine grazie [9] web e al Quirinale, rimane però un ostacolo quotidiano e insormontabile per tanti altri ragazzi che vivono la sua stessa situazione e che [10] rappresentare la bandiera italiana nel mondo.

1.   A. ⬤ ogni   B. ⬤ qualcosa   C. ⬤ qualche

2.   A. ⬤ meriti   B. ⬤ guadagni   C. ⬤ vittorie

3.   A. ⬤ gli   B. ⬤ lo   C. ⬤ le

4.   A. ⬤ finalmente   B. ⬤ comunque   C. ⬤ soprattutto

5.   A. ⬤ cui   B. ⬤ che   C. ⬤ il quale

6.   A. ⬤ capacità   B. ⬤ permesso   C. ⬤ possibilità

7.   A. ⬤ nessuno   B. ⬤ nulla   C. ⬤ qualcosa

8.   A. ⬤ qualcosa   B. ⬤ qualche   C. ⬤ qualcuno

9.   A. ⬤ per   B. ⬤ al   C. ⬤ a

10.   A. ⬤ hanno voluto   B. ⬤ vorrei   C. ⬤ vorrebbero

7 Completa i messaggi con la parola opportuna.

A. Buongiorno vorrei qualche informazione sulla cittadinanza, vorrei chieder_____ ma non so come fare.

B. Che buona questa pasta! Me _____ dai ancora un po'?

C. Ho inoltrato la richiesta di cittadinanza questa settimana, ma non so quando _____ risponderanno.

D. - Chi porta le fotocopie all'insegnante? - _____ porto io.

E. Romina, visto che anche tu devi andare a votare nella stessa scuola dove voto io, _____ andiamo insieme?

F. Vorrei fare un regalo a tua mamma. Che cosa _____ piace?

G. – Hai visto Paolo ultimamente? – No, non _____ vedo dal mese scorso.

H. Mi presti la bicicletta per favore? Prometto che _____ riporto tra 5 minuti.

I. – Anche io devo andare in questura, andiamo insieme domani?
   – No, mi dispiace, io _____ devo andare oggi.

L. Guarda, ci sono i biglietti della lotteria! Io _____ compro uno, mi sento fortunato oggi!

COMPRENSIONE DELL'ASCOLTO

8 🎧 (33) **Ascolta i testi. Poi completa le frasi: scegli una delle tre proposte di completamento.**

1. Rosaline non ha ancora inoltrato la domanda perché
   A. ⚪ non ha tutti i documenti necessari.
   B. ⚪ ha avuto problemi con la procedura online.
   C. ⚪ non ha diritto alla cittadinanza.

2. Lucia
   A. ⚪ non riesce a studiare a casa perché c'è troppo rumore.
   B. ⚪ va in biblioteca in metropolitana perché piove.
   C. ⚪ non va in biblioteca perché ha un altro impegno.

3. Giorgio ed Emanuela propongono ad Antonio di
   A. ⚪ mangiare una pizza insieme.
   B. ⚪ andare a vedere un film insieme.
   C. ⚪ andare al concerto di un'amica.

4. Luigi a scuola
   A. ⚪ ha letto tutti gli articoli della Costituzione.
   B. ⚪ ha fatto un tema sulla Costituzione.
   C. ⚪ parlerà della Costituzione una volta a settimana.

5. Finder
   A. ⚪ è utilizzata da milioni di persone.
   B. ⚪ è solo per uomini.
   C. ⚪ parla di arte e musica.

6. Da "Macchine e Gomme"
   A. ⚪ per questo mese il cambio gomme costa la metà.
   B. ⚪ il controllo dei freni è sempre gratuito.
   C. ⚪ si possono fare dei corsi di guida sicura.

7. L'annuncio
   A. ⚪ si rivolge agli italiani residenti all'estero.
   B. ⚪ dice che le elezioni saranno il 26 aprile.
   C. ⚪ si rivolge a chi trascorre un periodo fuori dall'Italia.

8. La notizia dice che in Italia
   A. ⚪ gli uomini guadagnano in media 2.700 euro.
   B. ⚪ esistono disuguaglianze di retribuzione.
   C. ⚪ le donne iniziano a lavorare a febbraio.

9 (34) Ascolta il testo che recita alcune parti della Costituzione Italiana, poi leggi le affermazioni seguenti. Non tutte sono presenti nel testo. Indica se l'affermazione è presente (SÌ) o se NON è presente (NO).
Le affermazioni ripetono le stesse parole del testo.

A. infonde lavoro — sì NO

B. si rivolge alla sua particolarità — sì NO

C. parità in una degna società — sì NO

D. promuove le condizioni — sì NO

E. una e indivisibile — sì NO

F. tutela con apposite norme — sì NO

G. ciascuno nel proprio ordine — sì NO

H. sono legalmente libere — sì NO

I. lo sviluppo della cultura — sì NO

L. nelle forme del diritto nazionale — sì NO

M. strumento di difesa per la libertà — sì NO

N. di eguali dimensioni — sì NO

10 (35) Ascolta il testo poi leggi le affermazioni seguenti. Non tutte sono presenti nel testo. Indica se l'affermazione è presente (SÌ) o se NON è presente (NO). Le affermazioni riportano il contenuto del testo senza ripetere necessariamente le stesse parole.

A. La Costituzione è stata firmata nel 1948. — sì NO

B. La notizia parla delle nuove leggi italiane. — sì NO

C. Il Sindaco di Roma ha partecipato alle celebrazioni. — sì NO

D. Durante le celebrazioni è stato possibile vedere i documenti originali dell'epoca. — sì NO

E. Per il compleanno della Costituzione sono state create delle monete particolari. — sì NO

F. La Costituzione è stata tradotta in più di cinque lingue. — sì NO

G. La Costituzione italiana è stata scritta dall'Assemblea costituente. — sì NO

H. Alcuni protagonisti dello sport e della cultura italiana hanno collaborato alle celebrazioni. — sì NO

PRODUZIONE ORALE

11 Ascolta Lena che parla del suo rapporto con lo Stato e le leggi italiane.

Come esprimere obbligo, necessità o possibilità

■ In italiano possiamo usare queste espressioni per esprimere obbligo, necessità o possibilità:

- **Andare + participio passato** ▶ **ES.** *La legge **va sempre rispettata** anche quando non siamo d'accordo.*

- **Si può/Si deve + infinito** ▶ **ES.** ***Si può esprimere*** *la propria opinione senza pericolo di essere perseguitati. | La legge **si deve rispettare**.*

- **È obbligatorio/È necessario + infinito** ▶ **ES.** ***È obbligatorio*** *pagare una tassa per il possesso della televisione.*

- **Bisogna + infinito** ▶ **ES.** ***Bisogna*** *impegnarsi per studiare e capire le leggi.*

---

12 Leggi la tabella e utilizza le strutture illustrate per parlare anche tu delle leggi italiane e di cosa ne pensi.

FUNZIONE	ESEMPIO	
Esprimere obbligo	La legge **va sempre rispettata** anche quando non siamo d'accordo.	*La legge va...*
	È **obbligatorio** pagare una tassa per il possesso della televisione.	*In Italia è obbligatorio...*
Esprimere possibilità	**Si può esprimere** la propria opinione.	*In Italia si può...*
Esprimere necessità	**Bisogna** impegnarsi per studiare e capire le leggi.	*Bisogna...*
Esprimere dovere	La legge **si deve** rispettare.	*Si deve...*

13 Ora chiudi il libro e parla con un amico, parlagli delle leggi italiane e di cosa ne pensi. Se sei da solo, puoi registrare la tua voce sullo smartphone e riascoltarti per esercitarti.

COMPRENSIONE DELLA LETTURA

 1 Leggi il testo e rispondi alla domanda.

I CAF (Centri di Assistenza Fiscale) sono organizzazioni che supportano i lavoratori dipendenti, i pensionati e i datori di lavoro nel pagamento delle tasse e nell'adempimento degli obblighi fiscali (modelli 730, dichiarazioni fiscali, modelli ISEE).

Il CAF si occupa anche dell'invio dei modelli compilati, o precompilati dai contribuenti, all'Agenzia delle Entrate.

Le prestazioni dei CAF sono del tutto gratuite per i cittadini, tranne per quanto riguarda la compilazione del modello 730.

Ogni anno moltissimi cittadini entrano in una delle sedi CAF, diffuse su tutto il territorio nazionale, con un problema fiscale ed escono con la soluzione giusta.

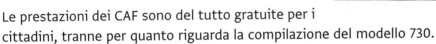

I CAF

A. ◯ sono presenti in ogni Regione.

B. ◯ aiutano i lavoratori licenziati ingiustamente.

C. ◯ compilano gratuitamente il modello 730.

2 **Leggi il testo, poi leggi le affermazioni seguenti. Non tutte sono presenti nel testo. Indica se l'affermazione è presente (SÌ) o se NON è presente (NO).**

L'indennità di disoccupazione

La NASpI è l'indennità di disoccupazione, ne hanno diritto tutti i lavoratori e le lavoratrici dipendenti che hanno perso involontariamente il lavoro. Inoltre, possono chiedere l'indennità di disoccupazione anche le lavoratrici che hanno presentato le dimissioni nel periodo della maternità, perché si tratta di dimissioni per giusta causa.

Per ottenere la NASpI bisogna:

- essere disoccupati o disoccupate;
- aver versato almeno tredici settimane di contributi negli ultimi quattro anni di lavoro prima della disoccupazione;
- aver maturato almeno trenta giornate di lavoro nei dodici mesi che precedono l'inizio del periodo di disoccupazione.

Come fare richiesta

La domanda di disoccupazione deve essere presentata entro 68 giorni dalla perdita del posto di lavoro e dovrà essere inviata esclusivamente in modalità telematica, attraverso il sito dell'Inps.

Per svolgere le pratiche è necessario avere il pin dell'Inps. Nel caso in cui non se ne fosse in possesso, ci si può rivolgere al patronato per essere supportati nella compilazione della richiesta che sarà comunque inviata telematicamente.

La durata dell'indennità di disoccupazione dipende dalla storia contributiva del lavoratore, in ogni caso non può superare i due anni.

La NASpI, come ogni altro tipo di contributo per la disoccupazione, termina quando il lavoratore o la lavoratrice ha percepito le giornate d'indennità che gli spettano oppure quando inizia un nuovo lavoro, o diventa titolare di pensione.

A. Chi si dimette dal proprio lavoro non ha diritto alla NASpI. sì NO

B. La NASpI sostituisce il congedo di maternità. sì NO

C. La domanda per la disoccupazione si può inviare solo tramite internet. sì NO

D. La NASpI ha una durata di due anni per tutti i lavoratori e lavoratrici. sì NO

E. Le lavoratrici che si dimettono per aver avuto un bambino hanno diritto alla NASpI. sì NO

F. Per avere diritto alla NASpI è necessario aver lavorato regolarmente negli ultimi anni. sì NO

G. Per fare richiesta della NASpI è necessario aver lavorato almeno 68 giorni nell'ultimo anno. sì NO

H. I dipendenti dell'Inps possono aiutare i lavoratori e le lavoratrici a compilare la domanda di disoccupazione. sì NO

I. L'importo massimo della NASpI è di 1.221,44 euro mensili. sì NO

L. Quando si trova un nuovo impiego non si ha più diritto alla NASpI. sì NO

M. La NASpI viene ridotta quando il lavoratore diventa titolare di pensione. sì NO

N. Solo i cittadini italiani hanno diritto alla NASpI. sì NO

Avverbi e congiunzioni: *perché, siccome, quindi, addirittura*

- **Perché** è un avverbio e una congiunzione che indica la causa di un fatto. *Perché* introduce una frase secondaria che solitamente segue la frase principale
  - ▶ **ES.** *Non posso andare al lavoro* **perché** *sono malata.*

- **Siccome** è un avverbio e una congiunzione che indica la causa di un fatto. Diversamente da *perché* introduce una frase secondaria che però precede la principale
  - ▶ **ES.** **Siccome** *sono malata, non posso andare al lavoro.*

- **Quindi** è un avverbio e una congiunzione che indica la conseguenza di un fatto
  - ▶ **ES.** *Ho perso il lavoro* **quindi** *chiedo la NASpl.*

- **Addirittura** è un avverbio che sottolinea la straordinarietà di un fatto
  - ▶ **ES.** *Il film era così commovente che* **addirittura** *ho pianto.*

3 **Collega le frasi.**

A. ☐ Siccome ho appena pagato le tasse

B. ☐ Sono arrivata all'appuntamento in anticipo

C. ☐ Le tasse in Italia sono molto alte

D. ☐ Ho parcheggiato l'auto in divieto di sosta

1. addirittura di 40 minuti.

2. non ho più soldi in banca.

3. quindi ho preso la multa.

4. perché c'è una grande evasione fiscale.

4 **Completa le frasi con *perché* o *siccome*.**

A. .... non sono sicura di vederti, ti lascio un messaggio sul tavolo.

B. Mi piacerebbe andare a teatro .... c'è lo spettacolo di uno dei miei attori preferiti.

C. Nell'e-mail ci sono molti errori .... l'ho scritta in fretta.

D. .... sono vegetariano, non mangio carne né pesce.

E. .... amo gli animali, preferisco le riserve naturali agli zoo.

F. Gianni e Stefano non possono venire al concerto stasera .... devono lavorare.

5 Completa le frasi con *perché* o *quindi*.

A. La biblioteca in Piazza Vecchia è molto silenziosa _____ si riesce a studiare molto bene.

B. Oggi non riesco proprio a concentrarmi _____ ho un forte mal di testa.

C. Ettore sta correndo alla stazione _____ il suo treno sta per partire.

D. La mia auto fa uno strano rumore _____ domani la porterò dal meccanico per un controllo.

E. Quest'anno abbiamo cambiato casa _____ molto probabilmente non andremo in vacanza.

F. La professoressa De Stefanis mette molto entusiasmo in quello che fa _____ gli studenti la apprezzano molto.

6 Completa le frasi con *perché, quindi, siccome, addirittura*.

A. Martina ha studiato tantissimo per l'esame _____ ci è rimasta molto male per la bocciatura.

B. Sono una ragazza sportiva, ma per il tuo matrimonio ho messo _____ le scarpe con il tacco!

C. _____ il clima sta cambiando, in futuro ci saranno molti migranti climatici.

D. Vorrei dimagrire ma da solo non riesco, _____ ho deciso di andare da un nutrizionista.

E. Sto frequentando un corso di italiano _____ l'anno prossimo vorrei fare un Master al Politecnico di Milano.

F. _____ l'anno prossimo vorrei andare in campeggio, devo assolutamente comprare una tenda e un sacco a pelo.

7 Completa il testo. Scegli la parola corretta tra quelle proposte.

Doren Italia ha il suo primo pensionato

Antonio, 65 anni, è il primo pensionato di Doren Italia, la multinazionale tedesca leader nella grande distribuzione, che ha aperto la [1] italiana solo sei anni fa.

"Quello presso Doren Italia è stato il mio ultimo lavoro, sono molto grato all'azienda [2] mi ha assunto quando avevo già 59 anni e mi mancavano solo sei anni alla pensione. Negli ultimi anni ho lavorato con colleghi giovanissimi, alcuni avevano [3] 40 anni meno di me".

I colleghi di Doren Italia [4] chiamano nonno o zio e il 1° aprile sarà il primo dipendente italiano della multinazionale tedesca ad andare in pensione. "Ricordo che quando ho fatto il colloquio avevo perso il lavoro da poco e [5] avevo già 59 anni, non avevo molte speranze di essere [6] , e invece oggi festeggio la pensione. Prima mi hanno proposto un contratto da quattro giorni, poi lo hanno prolungato per altri 15 giorni e infine ho firmato a tempo indeterminato".

Partito dall'ultimo gradino, dove lavorava in magazzino con i giovanissimi colleghi, è stato notato [7] manager per la sua competenza e [8] gli hanno affidato incarichi sempre più di responsabilità.

"In Doren ho dovuto abituarmi a ritmi di lavoro diversi da quelli a cui ero abituato, [9] ad alzarmi molto presto la mattina. Però mi sono trovato da subito molto bene e la [10] di età con i più giovani colleghi non è mai stata un problema, anzi con molti di loro siamo diventati ottimi amici".

1.	A. sede	B. casa	C. piazza
2.	A. quindi	B. siccome	C. perché
3.	A. comunque	B. finalmente	C. addirittura
4.	A. lo	B. li	C. gli
5.	A. perché	B. siccome	C. quindi
6.	A. impiegato	B. assunto	C. incaricato
7.	A. dal	B. da	C. del
8.	A. quindi	B. perché	C. siccome
9.	A. finalmente	B. comunque	C. soprattutto
10.	A. mancanza	B. differenza	C. ampiezza

8 Completa i messaggi con la parola opportuna.

A. Maria è davvero permalosa, quando fa così non _____ sopporto!

B. Domani è il compleanno di mia mamma, vorrei regalar_____ una macchina fotografica.

C. Sono stanca del tragitto per andare al lavoro. I treni sono sempre in ritardo e ogni giorno _____ devo prendere due.

D. Oggi lavoro fino a tardi e non riesco a passare dal supermercato. _____ vai tu, per favore?

E. – Hai detto a Samia che domani la lezione inizierà un'ora dopo?
   – Sì, l'ho incontrata in corridoio e _____ ho detto.

COMPRENSIONE DELL'ASCOLTO

9 🎧 **Ascolta i testi. Poi completa le frasi: scegli una delle tre proposte di completamento.**

1. Elisa chiama Luigi per

A. ⚪ invitare lui e sua moglie a cena.

B. ⚪ chiedere un consiglio per un viaggio.

C. ⚪ proporgli una vacanza a Capri.

2. Giorgio e Matilde si incontrano

A. ⚪ per strada.

B. ⚪ al museo.

C. ⚪ a un concerto.

3. Il CAF di Cesena

A. ⚪ vuole ricevere la documentazione online.

B. ⚪ accetta appuntamenti tutti i giorni della settimana.

C. ⚪ chiede un contributo economico per la compilazione del modello.

4. Sandra

A. ⚪ è in pensione da cinque anni.

B. ⚪ vuole fare una festa per la pensione.

C. ⚪ può dedicare più tempo alle attività che le piacciono.

5. L'offerta

A. ⚪ prevede sconti per un periodo di tempo limitato.

B. ⚪ invita i clienti a visitare il negozio per ricevere gli sconti.

C. ⚪ promuove un negozio che resterà aperto 24 ore.

6. Il treno per Lecco

A. ⚪ è guasto e non partirà.

B. ⚪ si ferma in tutte le stazioni previste.

C. ⚪ parte da un altro binario.

7. L'annuncio meteo

A. ⚪ vieta l'uso di autoveicoli.

B. ⚪ annuncia forti piogge.

C. ⚪ riguarda solo il Nord Italia.

8. Il romanzo *La vita bugiarda degli adulti*

A. ⚪ è in promozione sulle piattaforme online.

B. ⚪ uscirà domani in versione cartacea.

C. ⚪ è gratis per i possessori della tessera *Librissimi*.

10 🎧 **(38)** Ascolta il testo unico sull'IVA e poi leggi le affermazioni seguenti. Non tutte sono presenti nel testo. Indica se l'affermazione è presente (SÌ) o se NON è presente (NO). Le affermazioni ripetono le stesse parole del testo.

A. la divisione dei beni   SÌ **NO**

B. è ordinato dall'associazione   SÌ **NO**

C. all'atto della sua consegna   SÌ **NO**

D. il dato di ammissione   SÌ **NO**

E. riportare il numero progressivo   SÌ **NO**

F. del soggetto cedente   SÌ **NO**

G. il numero di partita IVA   SÌ **NO**

H. formanti oggetto dell'operazione   SÌ **NO**

I. gli aspetti negativi degli altri   SÌ **NO**

L. in cui è effettuata la cessione   SÌ **NO**

M. deve mantenere le aspettative   SÌ **NO**

N. al posto dell'imperdibile   SÌ **NO**

11 🎧 **(39)** Ascolta il testo poi leggi le affermazioni seguenti. Non tutte sono presenti nel testo. Indica se l'affermazione è presente (SÌ) o se NON è presente (NO). Le affermazioni riportano il contenuto del testo senza ripetere necessariamente le stesse parole.

A. Il signor Merini vive in Portogallo dal 2016.   SÌ **NO**

B. Il signor Merini ha contattato un'agenzia.   SÌ **NO**

C. Il signor Merini ha chiesto consiglio ad altri italiani residenti in Portogallo.   SÌ **NO**

D. Ad Algarve la vita costa meno che in Italia.   SÌ **NO**

E. In Portogallo, per i primi dieci anni, le tasse sono molto basse.   SÌ **NO**

F. Il signor Merini si è trasferito da un paio di anni.   SÌ **NO**

G. Il signor Merini preferisce le temperature del Portogallo.   SÌ **NO**

H. Il signor Merini si è pentito della sua scelta.   SÌ **NO**

12   Ascolta Taras, un ragazzo ucraino, che racconta del suo rapporto con il denaro.

> ## Come esprimere eventualità
>
> ■ In italiano usiamo diverse espressioni per esprimere eventualità, cioè per indicare che una situazione o un comportamento sono variabili e influenzati da altre condizioni.
>
> - **Dipende** è un verbo, deriva dall'infinito *dipendere*. In questo contesto significa *essere legato a una condizione* e si usa come risposta in forma impersonale ▶ **ES.** – *Sei un risparmiatore oppure uno spendaccione? –* ***Dipende*** *da tante cose.*
>
> - **A volte** è un avverbio che indica la frequenza con cui si fa qualcosa. In alcuni contesti, come questo, sottolinea l'occasionalità di un evento ▶ **ES.** ***A volte*** *però, non resisto e mi concedo qualche spesa superflua.*
>
> - **Magari** è un'espressione che, in questo contesto, si usa per introdurre un'azione che dipende da un'altra situazione o circostanza e ha il significato di *eventualmente*
>   ▶ **ES.** ***Magari*** *risparmio su altre cose pur di poterlo comprare.*
>
> ■ **Beh** è un'interiezione che si usa spesso per iniziare il discorso. Può avere diverse funzioni: in questo caso serve per dare più importanza a quello che viene dopo
> ▶ **ES.** ***Beh****, essendo esperto di informatica ho un debole per le nuove tecnologie.*

13 **Leggi la tabella e utilizza le strutture illustrate per parlare, come Taras, del tuo rapporto con il denaro.**

FUNZIONE	ESEMPIO	
Esprimere eventualità	– *Sei un risparmiatore oppure uno spendaccione? –* ***Dipende*** *da tante cose.*	*Dipende*
Raccontare un fatto occasionale	***A volte*** *però, non resisto e mi concedo qualche spesa superflua.*	*A volte*
Introdurre un'azione che dipende da un'altra	***Magari*** *risparmio su altre cose pur di poterlo comprare.*	*Magari*
Iniziare il discorso e dare importanza a quello che si sta per dire	***Beh****, essendo esperto di informatica ho un debole per le nuove tecnologie.*	*Beh*

14 **Ora chiudi il libro, parla con un amico e raccontagli del tuo rapporto con il denaro. Sei un risparmiatore o uno spendaccione? Se sei da solo, puoi registrare la tua voce sullo smartphone e riascoltarti per esercitarti.**

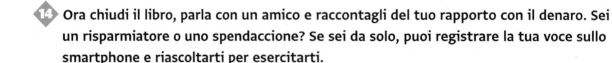

SOLUZIONI DELLE PROVE

PROVA 1
ECOLOGIA E AMBIENTE

Pagina 17

1 C.

Pagina 18

2 A SÌ, B NO, C SÌ, D NO, E NO, F SÌ, G SÌ, H NO, I NO, L NO, M SÌ, N SÌ.

Pagina 20

3 A ero, andavo, siamo andati; B era, aveva, Aveva, si è arrabbiato; C correva, è caduta, ha preso, ha dovuto; D avevo, ho ricevuto, ero, volevo, conoscevo; E avevate, vi siete sposati; F ho studiato, ho iniziato.

Pagina 21

4 *(soluzioni possibili)* A Ieri Giulio ascoltava la musica mentre correva, B Ieri la mamma lavorava mentre i bambini giocavano, C Ieri Susanna ha incontrato Lucia mentre andava in centro con Stefania, D Ieri Franco ha fatto la spesa e poi ha cucinato la cena.

Pagina 22

5 sono arrivati, erano, esistevano, usavano, scrivevano, telefonavano, potevi, ho aspettato.

6 1. A, 2. C, 3. B, 4. A, 5. C, 6. B, 7. B, 8. A, 9. A, 10. C.

Pagina 23

7 A la, B gli, C mi, D ci, E ne.

Pagina 24

8 1. C, 2. C, 3. B, 4. C, 5. A, 6. C, 7. A, 8. B.

Pagina 25

9 A NO, B SÌ, C NO, D SÌ, E NO, F SÌ, G NO, H SÌ, I NO, L SÌ.

10 A SÌ, B NO, C NO, D NO, E SÌ, F NO, G SÌ, H SÌ.

PROVA 2
SCUOLA

Pagina 27

1 B.

Pagina 28

2 A NO, B NO, C SÌ, D SÌ, E NO, F NO, G SÌ, H SÌ, I NO, L SÌ, M NO, N SÌ.

Pagina 31

3 A la, B le, C li, D lo, E lo, F li.

4 A Le, B gli, C gli, D ti, E mi, F Vi.

5 A glieli, B te lo, C glielo, D tele, E Gliela, F me lo.

Pagina 32

6 1. C, 2. B, 3. A, 4. C, 5. A, 6. C, 7. A, 8. B, 9. B, 10. A.

Pagina 33

7 A Li, B Le, C gliel', D ne, E ci, F vi, G Ne, H ci, I glielo, L L'.

Pagina 34

8 1. C, 2. B, 3. A, 4. B, 5. A, 6. C, 7. B, 8. B.

Pagina 35

9 A SÌ, B NO, C NO, D NO, E SÌ, F SÌ, G SÌ, H NO, I NO, L SÌ.

10 A NO, B SÌ, C SÌ, D NO, E SÌ, F NO, G SÌ, H NO.

PROVA 3
LAVORO

Pagina 37

1 C.

Pagina 38

2 A SÌ, B SÌ, C NO, D SÌ, E NO, F NO, G NO, H SÌ, I NO, L NO, M SÌ, N SÌ.

Pagina 40

3　D Digli che li saluto, E Comprane due chili, F Li hai visti?, G Voglio regalargli una bambola, H Ne prendo ancora una fetta, I Mi sono dimenticata di telefonarle, L Posso averne ancora un po'?, M Le chiedo un'informazione.

Pagina 41

4　A mi, mi; B gli, lo; C ti; D ci, vi; E ne; F li; G Ti; H me le; I ne; L gliela.

5　1. A, 2. B, 3. A, 4. C, 5. C, 6. B, 7. A, 8. B, 9. B, 10. C.

Pagina 42

6　A ti, B gli, C glielo, D ne, E ci.

Pagina 43

7　1. B, 2. C, 3. A, 4. A, 5. A, 6. A, 7. C, 8. B.

Pagina 44

8　A NO, B NO, C SÌ, D NO, E SÌ, F SÌ, G NO, H SÌ, I NO, L NO, M SÌ, N SÌ.

9　A NO, B NO, C SÌ, D SÌ, E SÌ, F NO, G SÌ, H NO.

PROVA 4
SALUTE

Pagina 47

1　A.

Pagina 48

2　A SÌ, B NO, C NO, D NO, E SÌ, F NO, G SÌ, H SÌ, I NO, L SÌ, M NO, N SÌ.

Pagina 50

3　B che Paolo si vuole fare prete, C con Veronica, D a fare la spesa, E a casa tua, F che Ben arriva tra 5 minuti.

4　A ne, B ne, C ci, D ci, E ne, F ci, G Ne, H ci, I ne, L Ci.

Pagina 51

5　1. B, 2. C, 3. B, 4. C, 5. C, 6. A, 7. C, 8. A, 9. B, 10. C.

Pagina 52

6　A ne, B Ci, C l', D vela, E Ci.

Pagina 53

7　1. C, 2. B, 3. B, 4. C, 5. A, 6. B, 7. A, 8. B.

Pagina 54

8　A NO, B NO, C SÌ, D NO, E SÌ, F NO, G NO, H SÌ, I NO, L SÌ, M SÌ, N SÌ.

9　A NO, B SÌ, C NO, D NO, E SÌ, F SÌ, G NO, H SÌ.

PROVA 5
FAMIGLIE E TRADIZIONI

Pagina 57

1　B.

Pagina 58

2　A NO, B SÌ, C NO, D NO, E NO, F SÌ, G SÌ, H NO, I SÌ, L SÌ, M NO, N SÌ.

Pagina 60

3　A al, B negli, C in, D della, E a, F della, in, G in, H dal, I Tra i, L da.

Pagina 61

4　A Agli, B sull', C della, D sulla, E al, F dell', G Sul, H negli, I agli, L all'.

5　A allo; B dall'; C sul; D dal; E dagli; F della; G dalla; H dal; I al, alle; L dalla, all'.

Pagina 62

6　1. A, 2. B, 3. A, 4. B, 5. C, 6. B, 7. A, 8. C, 9. A, 10. C.

Pagina 63

7　A le, B ci, C ne, D mi, E glielo, F Li, G li, H ne, I glielo, L ci.

Pagina 64

8　1. B, 2. B, 3. A, 4. C, 5. C, 6. A, 7. A, 8. C.

Pagina 65

9　A NO, B NO, C SÌ, D SÌ, E SÌ, F SÌ, G NO, H SÌ, I NO, L NO, M SÌ, N NO.

10　A NO, B SÌ, C NO, D NO, E SÌ, F NO, G SÌ, H SÌ.

PROVA 6
CASA

Pagina 67

1 B.

Pagina 68

2 A NO, B SÌ, C SÌ, D SÌ, E SÌ, F NO, G NO, H NO, I NO, L SÌ, M NO, N SÌ.

Pagina 70

3 A 4, B 3, C 1, D 2.

4 B soprattutto, C comunque, D finalmente, E altrimenti.

Pagina 71

5 A soprattutto, B finalmente, C comunque, D soprattutto, E altrimenti, F comunque, G altrimenti, H Finalmente.

6 1. A, 2. B, 3. C, 4. C, 5. A, 6. C, 7. B, 8. C, 9. C, 10. B.

Pagina 72

7 A la, B me lo, C ci, D ne, E vi.

Pagina 73

8 1. A, 2. C, 3. B, 4. A, 5. C, 6. C, 7. A, 8. A.

Pagina 74

9 A SÌ, B SÌ, C NO, D SÌ, E NO, F SÌ, G NO, H NO, I NO, L SÌ, M NO, N SÌ.

10 A SÌ, B NO, C SÌ, D NO, E NO, F SÌ, G NO, H SÌ.

PROVA 7
VIAGGI E TEMPO LIBERO

Pagina 77

1 A.

Pagina 78

2 A SÌ, B SÌ, C SÌ, D NO, E NO, F SÌ, G SÌ, H NO, I NO, L NO, M SÌ, N NO.

Pagina 81

3 A andrebbero; B potreste; C accenderemmo; D lavorerebbe; E mangerei; F sarebbe; G dovrebbe, potrebbe; H metteresti.

4 A 4, B 2, C 1, D 3, E 2, F 4, G 1, H 3.

Pagina 82

5 (soluzioni possibili) A Mi piacerebbe molto visitare Parigi, B Secondo me dovresti mangiare meno cibo spazzatura, C Professore, potrebbe venire qui al mio banco?, D Mi potresti passare la bottiglia dell'acqua, per favore?

6 1. C, 2. A, 3. B, 4. A, 5. C, 6. B, 7. A, 8. C, 9. B, 10. B.

Pagina 83

7 A ci, B vi, C gli, D te li, E ne.

Pagina 84

8 1. A, 2. B, 3. B, 4. C, 5. B, 6. A, 7. C, 8. A.

Pagina 85

9 A NO, B NO, C SÌ, D SÌ, E NO, F SÌ, G NO, H SÌ, I NO, L NO, M SÌ.

10 A SÌ, B NO, C SÌ, D NO, E NO, F NO, G SÌ, H SÌ.

PROVA 8
CITTÀ E SERVIZI

Pagina 87

1 B.

Pagina 88

2 A SÌ, B SÌ, C NO, D SÌ, E NO, F SÌ, G NO, H SÌ, I NO, L SÌ, M NO, N NO.

Pagina 90

3 B dei quali, C dalla quale, D al quale, E nel quale, F tra i quali.

4 A che, B con cui, C per cui, D di cui, E che, F che.

Pagina 91

5 A che, B chi, C Chi, D chi, E che, F che.

6 A Chi, B che, C cui, D che, E chi, F cui.

7 A con cui, B chi, C che, D chi, E a cui, F che, G su cui, H in cui.

Pagina 92

8 1. B, 2. C, 3. A, 4. A, 5. B, 6. B, 7. A, 8. A, 9. A, 10. A.

Pagina 93

9 A lo, B Vi, C ne, D melo, E ci, F ne, G ci, H la, I ve li, L gli.

Pagina 94

10 1. C, 2. A, 3. B, 4. B, 5. B, 6. C, 7. A, 8. C.

Pagina 95

11 A NO, B NO, C SÌ, D SÌ, E NO, F SÌ, G NO, H SÌ, I SÌ, L NO, M NO, N SÌ.

12 A NO, B SÌ, C NO, D SÌ, E SÌ, F NO, G NO, H SÌ.

PROVA 9
L'ITALIA E LE SUE LEGGI

Pagina 97

1 A.

Pagina 98

2 A SÌ, B SÌ, C NO, D NO, E SÌ, F NO, G NO, H SÌ, I NO, L NO, M SÌ, N SÌ.

Pagina 100

3 A Qualcuno, B nessuno, C qualcosa, D nulla, E Ogni, F qualcuno, G qualche, H niente.

Pagina 101

4 A Il mio albero in giardino non ha più nessuna foglia, B Mi è entrato qualcosa nell'occhio, C Qualcuno sa dirmi che ore sono?, D Mi presti qualcosa? Non ho niente da mettermi, E Puoi darmi qualche consiglio per il colloquio di domani?, F Ogni volta che vedo Giovanna è sempre più bella, G Sono andata a trovare Elena, ma non c'era nessuno a casa sua, H Non ti preoccupare, non è successo nulla.

5 A qualcuno, B qualcosa, C Qualche, D nulla, E ogni, F nessuno, G qualcosa, H niente.

Pagina 102

6 1. C, 2. A, 3. A, 4. C, 5. B, 6. C, 7. B, 8. A, 9. B, 10. C.

Pagina 103

7 A la, B ne, C mi, D Le, E ci, F le, G lo, H te la, I ci, L ne.

Pagina 104

8 1. A, 2. A, 3. B, 4. C, 5. A, 6. A, 7. A, 8. B.

Pagina 105

9 A NO, B NO, C NO, D SÌ, E SÌ, F SÌ, G SÌ, H NO, I SÌ, L NO, M NO, N SÌ.

10 A NO, B NO, C NO, D SÌ, E SÌ, F SÌ, G NO, H SÌ.

PROVA 10
TASSE E CONTRIBUTI

Pagina 107

1 A.

Pagina 108

2 A SÌ, B NO, C SÌ, D NO, E SÌ, F NO, G NO, H SÌ, I NO, L SÌ, M NO, N NO.

Pagina 110

3 A 2, B 1, C 4, D 3.

4 A Siccome, B perché, C perché, D Siccome, E Siccome, F perché.

Pagina 111

5 A quindi, B perché, C perché, D quindi, E quindi, F quindi.

6 A quindi, B addirittura, C Siccome, D quindi, E perché, F Siccome.

Pagina 112

7 1. A, 2. C, 3. C, 4. A, 5. B, 6. B, 7. A, 8. A, 9. C, 10. B.

Pagina 113

8 A la, B le, C ne, D Ci, E gliel'.

Pagina 114

9 1. B, 2. A, 3. C, 4. C, 5. A, 6. C, 7. B, 8. B.

Pagina 115

10 A NO, B NO, C SÌ, D NO, E SÌ, F SÌ, G SÌ, H SÌ, I NO, L SÌ, M NO, N NO.

11 A NO, B NO, C SÌ, D SÌ, E NO, F SÌ, G SÌ, H NO.

PARTE **3**

LABORATORIO PER LA PRODUZIONE SCRITTA

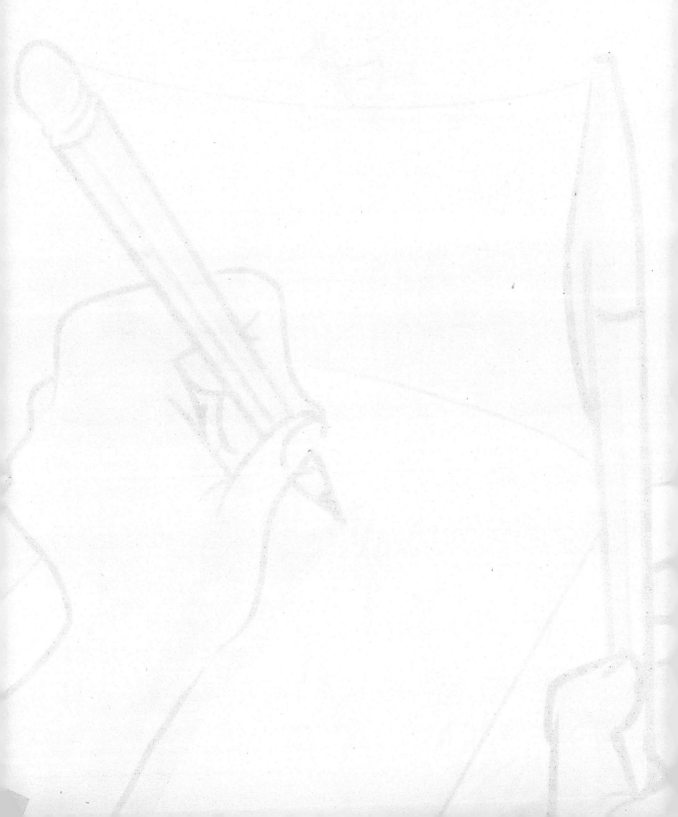

SCRIVERE UN'E-MAIL FORMALE:
APERTURA, INTRODUZIONE E CHIUSURA

1 **Nadia Smirnov scrive al suo padrone di casa: leggi l'e-mail e guarda le parti in cui è divisa un'e-mail formale.**

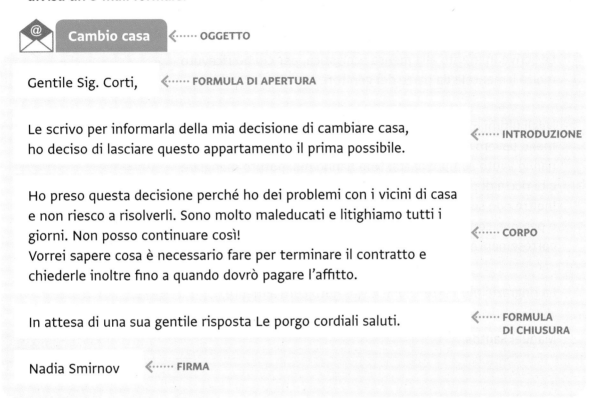

@ **Cambio casa** ◁······ OGGETTO

Gentile Sig. Corti, ◁······ FORMULA DI APERTURA

Le scrivo per informarla della mia decisione di cambiare casa,
ho deciso di lasciare questo appartamento il prima possibile. ◁······ INTRODUZIONE

Ho preso questa decisione perché ho dei problemi con i vicini di casa
e non riesco a risolverli. Sono molto maleducati e litighiamo tutti i
giorni. Non posso continuare così!
Vorrei sapere cosa è necessario fare per terminare il contratto e
chiederle inoltre fino a quando dovrò pagare l'affitto. ◁······ CORPO

In attesa di una sua gentile risposta Le porgo cordiali saluti. ◁······ FORMULA DI CHIUSURA

Nadia Smirnov ◁······ FIRMA

ATTENZIONE!

Rileggi la frase:
Le scrivo per informarla della mia decisione di cambiare casa.

FORMALE	INFORMALE
Le scrivo = Scrivo a Lei Le chiedo = Chiedo a Lei	Ti scrivo = Scrivo a te Ti chiedo = Chiedo a te
Informarla = Informare Lei	Informarti = Informare te
La saluto = Saluto Lei La ringrazio = Ringrazio Lei	Ti saluto = Saluto te Ti ringrazio = Ringrazio te

2 Manuel Santos scrive al dirigente scolastico della scuola di suo figlio: leggi l'e-mail e individua le parti in cui è divisa, come nell'esempio.

Firma ▪ Introduzione ▪ Formula di chiusura ▪ Formula di apertura ▪ ~~Oggetto~~ ▪ Corpo

@ **Mensa scolastica** ◄······ .... *oggetto* ....

Egr. Dirigente Scolastico, ◄······ ....

Sono Manuel Santos, rappresentante dei genitori dell'Istituto. Le scrivo in merito alla mensa scolastica, per cui ho ricevuto molte lamentele da parte dei genitori. ◄······ ....

Negli ultimi mesi la mensa ha proposto agli studenti un menù povero e poco vario. Ultimamente, infatti, i ragazzi hanno avuto sempre pasta. Non hanno mai potuto mangiare cibi ricchi di proteine come carne, pesce, uova e legumi. Inoltre non sono presenti scelte alternative per vegetariani e persone con allergie o problemi alimentari. Le chiedo cortesemente di risolvere il problema il prima possibile. ◄······ ....

La ringrazio per l'attenzione e La saluto cordialmente, ◄······ ....

Manuel Santos ◄······ ....

3 Riordina l'e-mail.

@

[ ] Sono interessato agli appartamenti del Comune perché ho un reddito familiare inferiore alla cifra indicata. Vorrei sapere quanto è l'affitto annuale e se gli appartamenti sono già arredati.

[ ] Ahmad Muhammad

[ ] Sono Ahmad Muhammad, cittadino italiano di origini egiziane. Scrivo in riferimento all'annuncio sulla bacheca del cittadino.

[ ] Distinti Saluti,

[ ] Buongiorno,

[1] Informazioni case del Comune

4 Esistono delle formule fisse per scrivere un'e-mail formale, come queste che hai appena letto. Leggi la tabella e completa con le formule dell'elenco.

Distinti saluti ■ Buongiorno ■ Gentile Sig. + cognome ■ Le scrivo per informarla di... ■
In attesa di una sua gentile risposta, porgo cordiali saluti ■ Egr. + cognome ■ Le scrivo in
merito a... ■ La ringrazio per l'attenzione ■ La saluto cordialmente ■ Scrivo in riferimento a...

FORMULE DI APERTURA	INTRODUZIONE	FORMULA DI CHIUSURA E SALUTI
- Spettabile + nome azienda - Signora + cognome - Gentile dottoressa + cognome - Gentile dottor + cognome	- Come anticipato telefonicamente - Come da precedenti accordi - Come da accordi telefonici - Scrivo <u>in risposta</u> a	- Cordiali saluti - Cordialmente - Arrivederla - Rimango a disposizione per ulteriori informazioni

5 Completa le e-mail usando le formule corrette dell'esercizio precedente, come nell'esempio.

A.

.... Elettroimpianti Srl,

Scrivo ....*in risposta*.... al vostro annuncio di ricerca personale.

In allegato il mio CV,

Rimango .... ,

.... saluti.

Rafaelle Patrao

Quando scrivi a un'azienda e non a una persona specifica, ricordati di usare *Spettabile +
nome azienda*. Inoltre:

- quando parliamo con un amico usiamo il tu ▶ **ES.** *Ti scrivo perché ho letto la **tua** e-mail.* |
*Caro Gianni, sto cercando casa, forse **tu puoi** aiutarmi.*

- quando parliamo con una persona che non conosciamo usiamo il Lei ▶ **ES.** *Le scrivo perché
ho letto la **sua** e-mail.* | *Gentile Sig. Rossi, sto cercando casa, forse **lei può** aiutarmi.*

- quando parliamo con un'azienda usiamo il voi ▶ **ES.** *Vi scrivo perché ho letto il **vostro** annuncio.* |
*Spett.le Casapiù, sto cercando casa, forse **voi potete** aiutarmi.*

B.

.... dottor Arosio,

Come .... telefonicamente, allego l'ultimo capitolo
della mia tesi.

.... di una sua gentile risposta,

.... cordiali saluti.

Maria Franco

Spesso nella corrispondenza gli
appellativi sono abbreviati.

Gentile	▶	Gent.le
Gentilissimo		Gent.mo
Gentilissima	▶	Gent.ma
Egregio	▶	Egr.
Egregia		Egr.ia
Spettabile	▶	Spett.le
Signor	▶	Sig.
Signora		Sig.ra

A volte dopo *Gentile* o *Egregia/o*, si utilizza il titolo
professionale della persona, anche in questo caso
abbreviato ▶ **ES.** *Gent.le prof.ssa De Stefanis*

Dottore	▶	Dott. / Dr.
Dottoressa		Dott.ssa
Professore	▶	Prof.
Professoressa		Prof.ssa
Ingegnere / Ingegnera	▶	Ing.
Avvocato / Avvocata	▶	Avv.

Nota bene: in italiano *Dottore* e *Dottoressa* si
usano per tutte le persone laureate, non solo per
i medici.

SCRIVERE UN'E-MAIL INFORMALE: APERTURA, INTRODUZIONE E CHIUSURA

1 Jorje scrive a suo fratello: leggi l'e-mail e guarda le parti in cui è divisa un'e-mail informale.

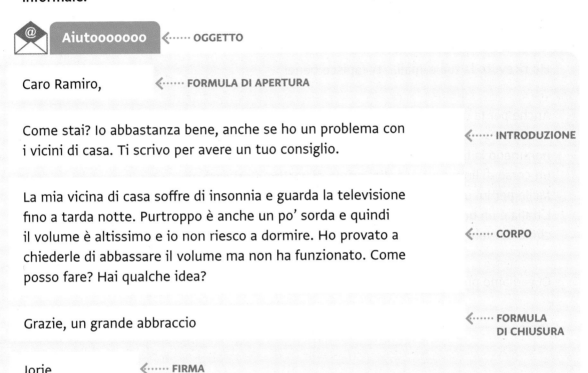

Aiutoooooooo ⟵······ OGGETTO

Caro Ramiro, ⟵······ **FORMULA DI APERTURA**

Come stai? Io abbastanza bene, anche se ho un problema con i vicini di casa. Ti scrivo per avere un tuo consiglio. ⟵······ **INTRODUZIONE**

La mia vicina di casa soffre di insonnia e guarda la televisione fino a tarda notte. Purtroppo è anche un po' sorda e quindi il volume è altissimo e io non riesco a dormire. Ho provato a chiederle di abbassare il volume ma non ha funzionato. Come posso fare? Hai qualche idea? ⟵······ **CORPO**

Grazie, un grande abbraccio ⟵······ **FORMULA DI CHIUSURA**

Jorje ⟵······ **FIRMA**

ATTENZIONE!

Esistono diversi livelli di informalità, soprattutto per quanto riguarda i saluti.

Molto informale	Tesoro Amore
Mediamente informale	Ciao + nome
Poco informale	Cara/o + nome Carissima/o + nome

2 Tania scrive alla sua amica Irina. Irina deve lasciare la Russia per trasferirsi in Italia e non sa come dirlo al figlio. Tania racconta la sua esperienza e dà alcuni consigli all'amica: leggi l'e-mail e individua le parti in cui è divisa, come nell'esempio.

Firma ▪ Introduzione ▪ Formula di chiusura ▪ Formula di apertura ▪ ~~Oggetto~~ ▪ Corpo

@ **Saluti e consigli** ←······· ....oggetto............

Carissima Irina, ←······· ....

Ho ricevuto la tua e-mail... ti capisco bene! ←······· ....

Anche per la nostra famiglia non è stato facile trasferirsi in un altro Paese: tante cose sono cambiate e non parlavamo nemmeno la lingua. Per questo ti consiglio di far fare subito un corso di lingua a tuo figlio, prima di partire. Così sarà più facile per lui una volta arrivato.
L'Italia è un bellissimo Paese, si mangia molto bene e ha un clima davvero piacevole. ←······· ....

Ci vediamo presto, un bacio ←······· ....

Tania ←······· ....

3 Riordina l'e-mail.

@

☐ Mara

☐ Come stai? Spero tutto bene.

☐ Ciao Josephine,

[1] Festa

☐ Spero tanto di vederti,
Un caro saluto

☐ Ho saputo che sei arrivata in Italia. Come è andato il viaggio? Questo week-end organizzo una festa con alcuni amici. Ti andrebbe di venire? Ci incontriamo a casa mia sabato alle 19, ognuno porta qualcosa da mangiare o da bere.

4 Esistono delle formule fisse per scrivere un'e-mail informale, come queste che hai appena letto. Leggi la tabella e completa con le formule dell'elenco.

Un caro saluto ▪ Cara/o + nome ▪ Ho ricevuto la tua e-mail ▪ Ciao + nome ▪
Un grande abbraccio ▪ Carissima/o + nome ▪ Ci vediamo presto ▪ Come stai? ▪ Un bacio

FORMULE DI APERTURA	INTRODUZIONE	FORMULA DI CHIUSURA E SALUTI
- Cari + nomi	- Da quanto tempo! - Vi scrivo perché - Riesco a scriverti solo ora	- A presto - Ci sentiamo

5 Completa le e-mail usando le formule corrette dell'esercizio precedente.

A.

.... Giulio e Arianna,

Vi .... perché ho ricevuto l'invito al vostro matrimonio.
Che bella notizia! Sicuramente ci sarò. Non vedo l'ora!
Un .... abbraccio
Eleonora

B.

.... Luca,
.... scriverti solo .... perché sono molto impegnato in questi giorni. D'accordo per la cena di sabato. Ci vediamo al ristorante alle 20.

A .... , un bacio
Marco

FORMALE O INFORMALE?

In questa tabella puoi vedere alcune formule di apertura, l'introduzione, le formule di chiusura e saluti che puoi usare per scrivere una e-mail formale o informale.

	FORMULE DI APERTURA	INTRODUZIONE	FORMULA DI CHIUSURA E SALUTI
FORMALE	- Spettabile + nome azienda - Signora + cognome - Gentile dottoressa + cognome - Gentile dottor + cognome - Buongiorno - Gentile Sig. + cognome - Gentile Sig.ra + cognome - Egr. + cognome	- Come anticipato telefonicamente - Come da precedenti accordi - Come da accordi telefonici - Scrivo in risposta a - Le scrivo per informarla di - Le scrivo in merito a - Scrivo in riferimento a	- Cordiali saluti - Cordialmente - Arrivederla - Rimango a disposizione per ulteriori informazioni - Distinti saluti - In attesa di una sua gentile risposta, porgo cordiali saluti - La ringrazio per l'attenzione - La saluto cordialmente
INFORMALE	- Cara/o + nome - Carissima/o + nome - Ciao + nome - Cari + nomi	- Da quanto tempo! - Ti scrivo perché - Riesco a scriverti solo ora - Ho ricevuto la tua e-mail - Come stai?	- A presto - Ci sentiamo - Un caro saluto - Un grande abbraccio - Ci vediamo presto - Un bacio - Con affetto

1 **Scegli tra formale e informale.**

	FORMALE	INFORMALE
A. Buongiorno Sig.ra Rossi	○	○
B. Caro amico mio	○	○
C. Ti stringo forte	○	○
D. Chiedo scusa se le rispondo solo ora	○	○
E. Vedo la tua e-mail solo adesso	○	○
F. Le scrivo per comunicare che	○	○
G. Distinti saluti	○	○
H. La ringrazio per l'attenzione	○	○
I. In attesa di un suo cordiale riscontro	○	○
L. A presto e buon weekend	○	○
M. Tua Valentina	○	○
N. Gentilissima dottoressa Silvani	○	○

2 Achille scrive una e-mail alla professoressa di suo figlio per invitarla alla cena di fine anno scolastico. Leggi l'e-mail.

Gentile professoressa,

Sono il rappresentante dei genitori della 5ª B. Le scrivo per invitarla alla cena di fine anno scolastico che sto organizzando. La cena sarà sabato 8 giugno alle 19.30 presso la Pizzeria La Stella di via Verdi 52.

In attesa di un suo riscontro porgo cordiali saluti

Achille Bigatti

3 Achille scrive alla sua amica Laura, un altro genitore, per invitare anche lei alla cena di fine anno scolastico. Scrivi l'e-mail usando il registro informale.

....

....

....

....

4 Valentina sta cercando casa. Scrive un'e-mail alla sua amica Alessia per chiederle aiuto nella ricerca. Leggi l'e-mail.

Ciao Alessia,

Come va?

Ti scrivo perché sto cercando casa e non riesco a trovarla. Forse tu conosci qualcuno che ha un appartamento da affittare. Sto cercando un bilocale a Milano. Non importa la zona, ma deve essere vicino a una fermata della metropolitana. Posso spendere circa 800 euro al mese, spese incluse.

Spero di avere presto tue notizie. Grazie dell'aiuto.

Un abbraccio

Vale

5 Valentina scrive all'agenzia immobiliare Casapiù per cercare casa. Scrivi l'e-mail usando il registro formale.

SCRIVERE UN'E-MAIL FORMALE O INFORMALE: IL CORPO DELL'E-MAIL

1 Il Sig. Tagliabue scrive al gestore della rete telefonica per segnalare un problema. Leggi l'e-mail e poi compila lo schema, riportando le parole del Sig. Tagliabue.

Spettabile Fastnet,

sono Giorgio Tagliabue, un vostro utente a cui avete installato il modem il mese scorso.

Scrivo per informarvi di un problema sulla linea. Da una settimana, infatti, la connessione ha iniziato a essere più lenta e ieri si è bloccata completamente. Ho provato più volte a spegnere e riaccendere il modem ma non è servito a niente.

Vi chiedo quindi di risolvere il problema nel più breve tempo possibile visto che la connessione mi serve con urgenza perché spesso lavoro da casa. Potete contattarmi rispondendo a questa e-mail o chiamandomi al 356 87653029.

Grazie per l'attenzione, cordiali saluti

Giorgio Tagliabue

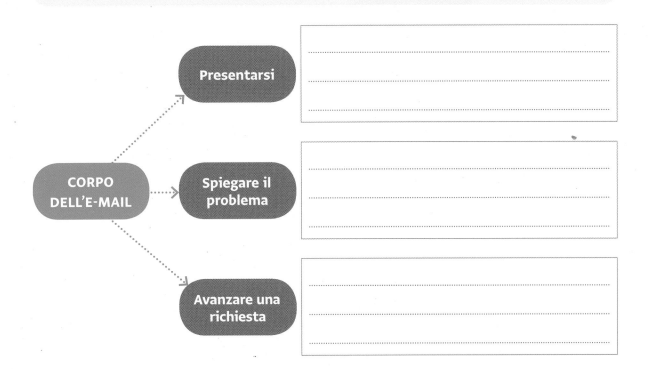

2 Fatima scrive al suo amico giornalista Gianni che vuole raccontare la sua storia. Leggi l'e-mail e completa lo schema riportando le parole di Fatima.

Ciao Gianni,

Come promesso ti scrivo per raccontarti la mia storia per il tuo giornale.

Sono arrivata in Italia cinque anni fa, ho raggiunto mio marito che lavorava qui da qualche anno. Quando sono arrivata sapevo dire solo "ciao" e "spaghetti", uscivo poco, non parlavo con nessuno ed ero un po' triste.

Poi ho deciso di iscrivermi a un corso di italiano e ho incontrato tante persone che come me dovevano imparare la lingua. Da quel momento tutto è cambiato: ho trovato nuovi amici e adesso mi piace vivere qui, conosco tante persone e ho anche trovato un lavoro come pasticcera.

Il mio consiglio per chi si sta per trasferire in Italia è quello di avere coraggio e non arrendersi alle prime difficoltà.

Un abbraccio,

Fatima

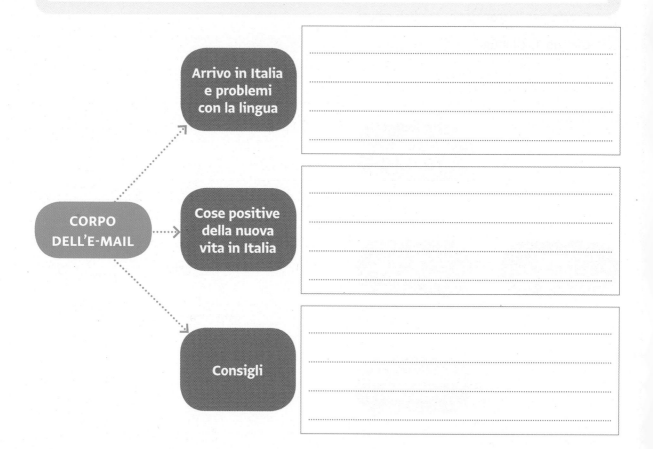

3 Leggi la tabella.

	CHIEDERE UN CONSIGLIO	ESPRIMERE OPINIONE	DARE UN CONSIGLIO	FARE UNA RICHIESTA	SPIEGARE UN PROBLEMA	CHIEDERE INFORMAZIONI
FORMALE	- Vorrei chiederle un consiglio	- Secondo me - Per me - Credo di / Credo che	- Il mio consiglio è di + infinito - Le consiglio di + infinito - Dovrebbe - Potrebbe	- Le chiedo - Vorrei chiederle - Per favore potrebbe + infinito	- Scrivo per informarla di un problema - Scrivo per informarvi di un problema - Segnalo che	- Vorrei sapere - Vorrei conoscere
INFORMALE	- Vorrei chiederti un consiglio - Mi dai il tuo parere?	- Secondo me - Per me - Credo di / Credo che	- Il mio consiglio è di + infinito - Ti consiglio di + infinito - Dovresti - Potresti	- Ti chiedo - Vorrei chiederti - Per favore potresti + infinito	- Scrivo per informarti di un problema - Segnalo che	- Vorrei sapere - Vorrei conoscere

4 Collega le frasi alla loro funzione linguistica.

A. Scrivo per informarvi di un problema con la linea telefonica.

B. Credo di essere qualificato per il lavoro proposto.

C. Vi chiedo di risolvere il problema il prima possibile.

D. Il mio consiglio è di arrivare puntuale.

E. Vorrei chiederti un consiglio su come vestirmi per la festa.

F. Vorrei conoscere gli orari di apertura del negozio.

G. Dovresti parlare con il tuo capo.

H. Vorrei chiederle se può farmi un'impegnativa per una visita specialistica.

I. Segnalo che l'illuminazione stradale in via Rossini non funziona.

L. Sono indecisa su quale libro leggere, mi dai il tuo parere?

M. Secondo me questo film non è adatto ai bambini.

N. Qual è il costo dei vostri servizi?

Chiedere consiglio

Esprimere opinione

Dare un consiglio

Fare una richiesta

Spiegare un problema

Chiedere informazioni

5 Stai cercando un appartamento in affitto. Scrivi un'e-mail a un'agenzia immobiliare in cui ti presenti, descrivi che tipo di appartamento stai cercando (zona, numero di locali) e chiedi informazioni sul costo dei servizi dell'agenzia. Scrivi circa 50 parole.

ATTENZIONE!

Nei test è importante rispettare le istruzioni e scrivere tutti i punti indicati. Per farlo, può essere utile fare uno schema prima di iniziare a scrivere, come questo che vedi qui sotto.

Presentati *Buongiorno, sono...*

Esprimi il desiderio di affittare una casa *Vorrei...*

Che zona?

Descrivi il tipo di appartamento *Sto cercando un appartamento...*

Quanti locali?

Chiedi informazioni sul costo dei servizi dell'agenzia *Vorrei sapere...*

ATTENZIONE!

Nei test viene sempre indicato un numero minimo e massimo di parole da utilizzare per scrivere. È importante cercare di rispettarlo, non scrivere troppo poco né uscire dagli spazi.

Spettabile Agenzia Casapiù,

Presentati (5/10 parole)	....
Esprimi il desiderio di affittare una casa (5/10 parole)	....
Descrivi il tipo di appartamento (zona e locali) (5/10 parole)	....
Chiedi informazioni sul costo dei servizi dell'agenzia (5/10 parole)	Cordiali saluti,

6 Nella via dove abiti le macchine parcheggiano sempre sul marciapiede, e tu e altri residenti non riuscite a passare con i passeggini dei bambini. Scrivi un'e-mail alla Polizia Locale per spiegare la situazione e chiedere il loro intervento.
Scrivi circa 100 parole.

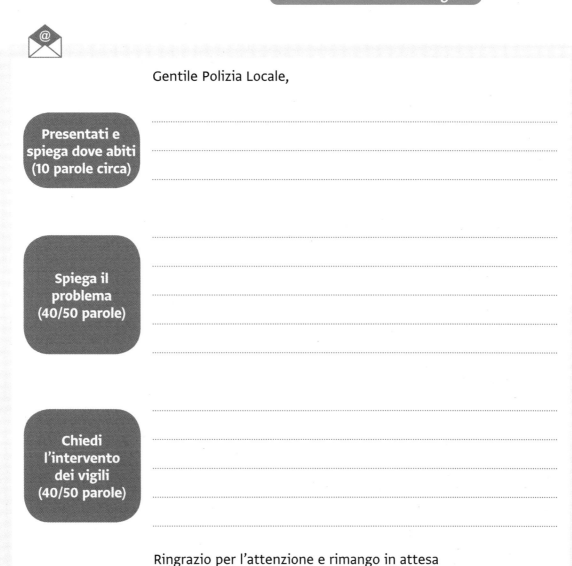

Presentati e spiega dove abiti

Spiega il problema

Chiedi l'intervento dei vigili

Gentile Polizia Locale,

Presentati e spiega dove abiti (10 parole circa)

Spiega il problema (40/50 parole)

Chiedi l'intervento dei vigili (40/50 parole)

Ringrazio per l'attenzione e rimango in attesa di un vostro riscontro.

7 Hai avuto un imprevisto e non puoi andare al lavoro. Scrivi al tuo collega per informarlo della situazione. Spiega perché non puoi andare e chiedigli di avvisare il responsabile e di mandare un'e-mail al tuo posto, spiegando a chi la deve mandare e che cosa deve scrivere.
Scrivi circa 90 parole.

Comunica che non puoi andare al lavoro

Spiega perché che non puoi andare al lavoro

Chiedi

Di avvisare il resposabile

Di mandare una e-mail

A chi? Per cosa?

Ciao Francesco,

Comunica che non puoi andare al lavoro e spiega perché (40/50 parole circa)

....
....
....
....
....

Chiedi di avvisare il responsabile e di mandare una e-mail al tuo posto (40/50 parole circa)

....
....
....
....
....

Grazie mille, a presto!

....

ESERCITARSI SULLE E-MAIL

1 Stai cercando lavoro e vedi questo annuncio. Rispondi all'annuncio con un'e-mail dove ti presenti e parli brevemente di te, spieghi perché sei interessato al lavoro e perché pensi di essere qualificato. Scrivi circa 50 parole.

> CERCASI **TECNICO INFORMATICO** PER AZIENDA LEADER
> NEL SETTORE DELLA GRANDE DISTRIBUZIONE

2 Una coppia di tuoi amici ha appena avuto un bambino. Scrivi un'e-mail per fare gli auguri. Chiedi come stanno, come sta il bambino e chiedi quando puoi andare a trovarli perché vuoi portare un regalo. Scrivi circa 90 parole.

3 Scrivi un'e-mail alla segreteria della scuola di italiano che frequenti, comunica che non puoi più seguire il corso di mattina, spiega perché, chiedi se ci sono corsi in altri orari e quanto costano. Scrivi circa 110 parole.

ESERCITARSI SULLE DOMANDE APERTE

1 In alcuni test ti chiedono di rispondere a delle domande aperte. Qui sotto trovi alcune domande che puoi usare per esercitarti.
Le risposte devono essere brevi, di circa 10/15 parole l'una.

A. Qual è il tuo primo ricordo in Italia?

....

....

....

B. Quali sono le difficoltà che hai affrontato in Italia?

....

....

....

C. Che cosa consiglieresti di fare a un amico che vuole venire in Italia?

....

....

....

D. Da quanto tempo sei in Italia? Perché hai scelto di vivere qui?

....

....

....

E. Che cosa ti piace e che cosa non ti piace dell'Italia?

....

....

....

F. Che cosa ti manca del tuo Paese?

....

....

....

G. Qual è la prima parola che hai imparato in Italia? E come?

....

....

H. Come hai imparato la lingua italiana?

....

....

....

I. Che cosa consiglieresti a chi vuole studiare italiano?

....

....

....

L. Quanto tempo passi su internet e per fare che cosa?

....

....

....

M. Quali sono i pericoli di internet?

....

....

....

N. Quali sono gli aspetti positivi e le potenzialità di internet?

....

....

....

O. Che lavoro svolgi in Italia? E che lavoro svolgevi nel tuo Paese?

....

....

....

P. Che consigli daresti a un cittadino straniero che cerca lavoro in Italia?

....

....

....

Q. Che cosa può fare lo Stato per aiutare le persone a trovare lavoro?

....

....

....

....

R. Come è cambiata la famiglia nel corso del tempo?

....

....

....

....

S. Che cosa significa per te la famiglia?

....

....

....

T. Quanto è importante seguire una sana alimentazione? Perché?

....

....

....

....

U. Che cosa fai per rispettare l'ambiente?

....

....

....

....

V. Qual è il tuo viaggio ideale e perché?

....

....

....

....

....

Z. Come ti informi su quello che succede in Italia e nel mondo? Leggi i giornali? Guardi la TV?

....

....

....

....

ATTENZIONE!

Ricordati che nel test è importante scrivere le parole correttamente. Ogni volta che scrivi e hai dei dubbi su come si scrive una parola, controlla sul dizionario.

Per esempio:

e = congiunzione, cioè unisce due parole ▶ **ES.** *Luca **e** il fratello di Marco vanno al cinema.*

è = verbo *essere* ▶ **ES.** *Luca **è** il fratello di Marco.*

a = preposizione ▶ **ES.** *Marco va **a** casa.*

ha = verbo *avere* ▶ **ES.** *Marco **ha** una casa.*

Ricorda che alcune parole che si usano spesso hanno sempre l'accento sull'ultima lettera, come **perché** e **però**.